A. J. Quinnell

La Sangre del Hijo

A. J Quinnell

La Sangre del Hijo

TOP
EMECÉ

Título original: *Blood Ties*

Traducción: Daniel Zadunaisky

Diseño de la cubierta: Eduardo Ruiz

Emecé Editores España, S.A.
Mallorca, 237 - 08008 Barcelona - Tel. 215 11 99

ISBN: 84-7888-317-9
22.097
Depósito legal: B-28.879-1997

Printed in Spain

Impresión: Romanyà-Valls, Pl. Verdaguer 1,
Capellades, Barcelona

A. J. Quinnell

La Sangre del Hijo

PRIMERA PARTE

1

El ascensor estaba impregnado del olor a sudor de sus ocupantes, y por enésima vez Kirsty Haywood pensó que sería agradable trabajar unos pisos más abajo.

El ascensor se detenía en todos los pisos, y ella quedó aplastada contra un rincón del fondo, detrás de un hombre calvo con gabardina a cuadros que masticaba la punta de un enorme puro apagado. El hombre miró a la mujer de nariz aguileña que tenía a su lado:

—Y entonces se lo dije. Sí señor. "Si quiere robar, robe", le dije. "Pero por Dios, no nos deje la caja vacía." ¡Estos contables son la peste!

"Claro que sí", pensó Kirsty. "Si falta dinero, la culpa la tiene el contable. No eres tú el que estafa a la empresa y los socios desde hace años."

El ascensor llegó a la planta baja, se abrieron las puertas y todos sus ocupantes salieron como expulsados por un resorte. Ya fuera, Kirsty aspiró profundamente, pero en el vestíbulo reinaba el mismo hedor. Se abrió paso hasta el quiosco y, sin mediar palabra, el negro canoso le dio un paquete de pastillas de menta con el guiño habitual. Kirsty le sonrió maquinalmente, pensando que, veinte años atrás, su pelo no era canoso y su guiño era más insinuante.

El viento helado de la Séptima Avenida disipaba todos los olores, incluso los de los tubos de escape del intenso tránsito de las seis de la tarde. Se levantó las solapas del abrigo, masticó la pastilla que tenía en la boca y se alejó del centro, con la cabeza alta, el paso rápido y las manos hundidas en los bolsillos.

El semáforo la detuvo en la esquina de la calle Cuarenta y Uno. Empezó a caer la nevisca y los paraguas se abrieron como hongos. Había olvidado coger el suyo. Sacó un pañuelo y se tapó el cabello rubio.

Enero en Nueva York. Hacía dos semanas que la ciudad estaba paralizada por la nieve. Hacía un frío espantoso, y el viento enfriaba el ambiente hasta ocho grados bajo cero. Ni los delincuentes se asomaban a la calle.

Para colmo, el transporte público estaba en huelga.

Kirsty suspiró con resignación. No había más remedio que caminar, hundiendo los zapatos en la nieve sucia. De las bocas del metro salían oleadas de aire caliente, rápidamente dispersadas por el viento. Desde Broadway llegaba el ulular de una sirena. Un hombre elegante maldijo entre dientes a una mujer que lo golpeó inadvertidamente con su paraguas. La mujer le devolvió el insulto.

Nada de eso afectaba a Kirsty, hija de la gran ciudad. Sirenas e insultos, impaciencia e indiferencia, todo era rutinario y cotidiano.

La luz verde dio paso a los peatones, el hombre elegante se abrió camino ayudado por su maletín de cuero.

Kirsty atravesó el centro dando un rodeo para evitar la sórdida calle Cuarenta y Dos y la zona de Times Square. Cuando era niña y sus padres la llevaban al teatro, Times Square era el país de las maravillas. Relucientes limusinas negras, bellas mujeres con vestidos largos. Las muchedumbres esperaban emocionadas el paso de la estrella de turno. Todo aquello había cambiado gradualmente hasta convertirse en el reino de las prostitutas y los macarras, y los drogadictos de mirada huidiza y gesto embrutecido por la heroína. Brillantes luces de neón y la escoria de la humanidad tirada en las aceras.

Desde hacía un par de años había decidido cambiar de ruta para ir y volver del trabajo, evitando ese espectáculo.

A medida que se alejaba del centro disminuía la densidad de transeúntes. Aflojó el paso. ¿Por qué la habría citado Larry en el bar de Bailey? El lugar habitual era el apartamento de él, o el de ella. Generalmente el de ella. No había querido decirle nada por teléfono, simplemente le había sugerido que tomaran un aperitivo antes de cenar. El bar se encontraba a dos manzanas de su apartamento, pero nunca había estado allí. No frecuentaba los bares.

La nevisca empezó a caer con más fuerza. Kirsty recorrió las últimas manzanas con paso rápido y finalmente se detuvo bajo un toldo a rayas, jadeando. Se quitó el pañuelo, que no le había protegido el pelo gran cosa, y empujó la puerta con incrustaciones de bronce. La iluminación era muy débil y se detuvo un instante en la entrada. Un salón decorado al estilo victoriano. Alfombras de color granate, paredes empapeladas en rojo con volutas negras. Lámparas de mesa con pantallas de tela azul. Mesas de caoba, asientos tapizados en terciopelo rojo. En el fondo una barra muy larga y en un rincón un piano de media cola. Sentado al piano, un tipo pelirrojo con esmoquin negro y cara de aburrido. Una media docena de hombres en la barra. Todos se dieron la vuelta al unísono para mirarla de arriba abajo, sin disimulo. Larry no estaba entre ellos. La clásica raza de habituales de los bares: vendedores y oficinistas jóvenes o de mediana edad, con trajes oscuros y mirada nerviosa. Parecía uno de esos bares de moda para personas solitarias. Miró su reloj. Las seis y media. Era raro que Larry llegara tarde. Pensó en la posibilidad de esperarlo fuera, pero la nieve caía con más fuerza y en el salón hacía calor; tal vez demasiado.

Se quitó el abrigo haciendo caso omiso de las miradas escrutadoras de los hombres. Mojada e incomoda ocupó una mesa. Se acercó la camarera, una muchacha de sonrisa de plástico con grandes pechos. Pidió un whisky con limón. Se preguntó, con fastidio creciente, para qué la habría citado. ¿Por qué llegaba tarde, sabiendo qué clase de lugar era? Seguramente le gustaba la idea de que ella lo esperara ante la mirada de tantos hombres solos.

No pasaron ni cinco minutos. Los hombres de la barra hablaron entre susurros y uno de ellos se acercó a su mesa con una sonrisa insinuante.

—Me llamo Ray —dijo, señalando el vaso—. ¿Puedo invitarla a otra copa?

Kirsty negó con la cabeza, pero el hombre ni se inmutó.

—¿Sola?

—Espero a mi novio.

—Bueno... podría hacerle compañía. Tal vez llegue tarde.

—Gracias, prefiero estar sola.

—Si es así... —Se dio la vuelta, se encogió de hombros ostensiblemente y volvió a la barra.

El bar se llenaba. Más o menos cinco hombres por cada mujer. Kirsty se dedicó a estudiar el rito de contacto, las miradas y señales. Las primeras frases eran fáciles de imaginar:

—¿Dónde trabajas?

—No me digas. Conozco a un tío de esa tienda... De la sección de ropa deportiva... Un tío alto. ¿Cómo coño se llama? A ti te conozco, te he visto antes... ¿Es la primera vez que vienes aquí? ¿En serio?

Kirsty miró su reloj, decidió que era hora de irse, pero justo cuando iba a recoger su bolso entró Larry.

Mientras dejaba el abrigo en el guardarropa le hizo una mueca de disculpa y se acercó a la mesa, saludando al pasar a varios conocidos. Se inclinó sobre la silla para besarle los labios, pero ella le ofreció la mejilla.

Pidió un martini, miró el vaso de Kirsty medio vacío y alzó una ceja, pero ella negó con la cabeza.

Larry bebió la mitad de su copa de un trago y la miró desde el otro lado de la mesa. Era un hombre de unos cuarenta y cinco años, alto y delgado con las sienes plateadas. Hubiera pasado por un tipo elegante de no haber sido por ciertos detalles. Vestía un traje gris oscuro, de corte clásico, que no le sentaba mal, pero la camisa amarillo canario, la corbata verde con el nudo demasiado grande y el pañuelo también amarillo que sobresalía en exceso del bolsillo de su chaqueta no combinaban. Su aspecto delataba su situación: administrativo de una gran empresa textil que jamás llegaría a un cargo ejecutivo.

—Estás enojada. Discúlpame. Pero, cuando salía, el hijo de puta de Kaufman vino a quejarse por el retraso en la entrega de los pedidos de primavera... Como si yo tuviera algo que ver.

—No me gusta estar sola en un lugar como éste.

Larry la miró con fastidio.

—Vamos, Kirsty, las costumbres cambian. Son chicas que trabajan, como tú... secretarias, vendedoras, oficinistas... ¿Por qué una mujer no puede salir sola, si quiere? Conoce a un tío... ¿y qué? Si se siente sola...

—De acuerdo, pero éste no es mi ambiente... lo sabes. Vámonos.

Al salir, él le apretó el brazo ostensiblemente.

Caminaron lentamente por la Primera Avenida, en silencio, hasta el apartamento de ella. Larry la observó mientras abría su buzón en el vestíbulo, y notó una mirada de desencanto al comprobar que estaba vacío.

—Tal vez mañana —dijo.

Ella se encogió de hombros y murmuró:

—Tal vez.

• • •

La velada transcurrió como siempre. Larry era un defensor entusiasta de la liberación femenina, en tanto no le afectara directamente. Se sirvió una copa y puso en marcha el televisor para mirar un combate de boxeo, mientras Kirsty calentaba el guisado de pollo que había preparado por la mañana y ponía la mesa.

Durante la cena Larry se giraba constantemente hacia el televisor. Murmuró un par de comentarios intrascendentes sobre la comida, el trabajo, etcétera. Volvió a concentrarse en la pelea mientras ella lavaba los platos. Kirsty sabía que él querría hacer el amor enseguida, y casi deseó que el combate durara los quince asaltos. Incluso pensó en pedirle que no pasaran la noche juntos, pero al día siguiente él se iba de viaje de negocios y tardaría varias semanas en volver.

Sus sentimientos eran contradictorios: por un lado quería estar sola, por otro, temía la soledad.

Llevaban ya dos años de relación. Ella era tímida, le costaba ser natural con un hombre. Él era divorciado y con un hijo. Como viajaba a menudo, no lo veía mucho. De vez en cuando salían al cine o a cenar. No podían permitirse muchos lujos: él pasaba parte de su sueldo a su ex esposa y ella ganaba sólo lo suficiente. Alguna vez Larry había insinuado la posibilidad de pasar unas vacaciones en Miami. Otra vez, muy vagamente, de casarse. Estaba segura de que tenía amantes en otras ciudades. Una vez notó que una de las maletas de Larry olía a un perfume que ella no usaba. Trató de sentir celos, pero no lo consiguió.

Al acabar de secar los platos se preguntó por qué no ponía fin a esa relación. Era una mujer atractiva, de aspecto juvenil, sabía que los hombres la deseaban, comprendía sus miradas. Algo había muerto en ella al morir Kevin... y algo más al ver a Garret hacer las maletas en medio de un hosco silencio. Los dos únicos hombres de su vida habían despertado en ella tanto amor, tanta pasión y tanto dolor que, ante la perspectiva aterradora de volver a sufrir de forma semejante, prefería refugiarse en una anodina relación con un tipo como Larry.

Momentos más tarde él entró en la cocina de puntillas, la abrazó por la espalda y le mordisqueó la oreja izquierda. Como siempre. Luego le cogió los senos y pellizcó los pezones con el pulgar y el índice. Como siempre.

Diez minutos después roncaba apaciblemente. Ella miraba al techo. La lámpara de la mesilla de noche estaba encendida. Desde la muerte de Kevin era incapaz de dormir a oscuras. Se sentía deprimida. Como siempre, se esforzó por no comparar a los dos hombres; como siempre, el esfuerzo fue en vano. El problema era más grave que el mero hecho de no llegar al orgasmo. A veces le sucedía con Kevin, pero no le importaba: de todas maneras se sentía a gusto. Kevin sabía hacerla reír en la cama. Era como un juego, una aventura. Incluso disfrutaba con los orgasmos de él. Y cuando ella llegaba también, el placer era tan intenso que duraba varios días.

Para Larry el sexo era un asunto muy serio. Desde el inicio de su relación ella prefirió no hablar del acto sexual, y cuando él indagaba sobre cada una de sus reacciones no le contestaba. Era un hombre egoísta, orgulloso de su virilidad y su técnica.

El juego previo duraba muy poco. Primero los labios, luego los senos, luego el recorrido por el vientre hasta el pubis y, finalmente, la penetración. El cuerpo de ella reaccionaba maquinalmente, pero su mente estaba en otra parte. Era una sensación agradable pero desprovista de amor. A los diez minutos Larry ya estaba dormido.

Así había sido esta vez. Kirsty, insomne, se sentía utilizada por él. Como siempre. Miraba al techo.

"¿Por qué?", se preguntó una y otra vez, pero el techo no le dio ninguna respuesta. Empezó a llorar.

"¿Por qué, Kevin? ¿Por qué te equivocaste? ¿Por qué jugaste con lo nuestro? ¿Por qué me dejaste?"

Trató de contener las lágrimas y olvidar a Kevin. Su único recurso era pensar en Garret, el hijo de ambos; concebido con tanta felicidad, tanto amor... sí, y tanta alegría. La casita en el bosque, el fuego en la chimenea, aquella hermosa semana de otoño en Vermont. Trató de imaginarse su aspecto: el cabello rubio, bastante largo. El rostro serio, expresivo y vulnerable. Cerró los ojos para contener las lágrimas y recordarlo, ahora que estaba en el otro lado del mundo.

Habían pasado seis semanas desde la última carta, pero ella la recordaba palabra por palabra. Era una carta fría. Una breve lista de acontecimientos, sólo para guardar las formas. Pero de las últimas frases podía extraer alguna esperanza.

"Mañana me embarco. Volveré a escribir pronto."

Tuvo que esforzarse para pensar en otra cosa. Suspiró. El día siguiente sería exactamente igual a los anteriores.

Primero el despertador, se levantaría y se pondría la bata. Larry se ducharía mientras ella preparaba el desayuno, luego comería en silencio mientras ella bebía café. No le gustaba hablar por la mañana.

Luego la abrazaría y besaría, y saldría rumbo a su oficina. Como siempre.

Ella iría al baño, se daría una ducha y se maquillaría. Contemplaría su rostro con ojo crítico en busca de una cana, alguna arruga. ¿Por qué? ¿A quién le importaba su aspecto? ¿Para quién se arreglaba? ¿Para sí misma?

La caminata hasta el trabajo era larga y triste. Detestaba viajar apretujada como una sardina en el autobús, de todos modos el mal tiempo había paralizado el servicio. Un café con una pasta por el camino. La oficina del decimoquinto piso. Los libros de contabilidad, el debe y el haber, más café, el bocadillo de pan integral en el almuerzo, más café, el regreso a casa. Sola. Un día más.

Se dio la vuelta y abrazó a Larry en busca de calor y afecto, pero no encontró nada. Le esperaba un día como todos los demás.

Así fue, al principio. El despertador; el desayuno para Larry; la ducha y el maquillaje. Cerrar la puerta del apartamento; bajar en el ascensor. El saludo del viejo portero barriendo el vestíbulo, como siempre.

—Buenos días, Riley. ¿Ha pasado el cartero?

El portero sonrió con su boca desdentada.

—Buenos días, señorita Kirsty. Sí, hay carta para usted. Y no parece el recibo de la luz.

Sus ojos recorrieron la hilera de buzones de la pared. Se acercó muy lentamente, hurgando en su bolso en busca de la llave. Cuando sacó la carta todo su cuerpo se estremeció de felicidad al reconocer la letra.

Apoyado en su escoba, el viejo portero la observó abriendo el sobre. Era una carta larga y vio que al leerla las lágrimas corrían por el rostro de Kirsty. Apoyó su escoba contra la pared y se acercó tímidamente. Ella terminó de leer. Las lágrimas le bañaban la cara hasta el mentón. Apretó la carta contra su pecho.

—¿Se siente bien, señorita Kirsty? ¿Malas noticias?

—¡No, no! La carta es de Garret. Dice que me quiere. Que vuelve a casa.

Extendió sus brazos hacia el viejo encorvado y lo abrazó.

—Me quiere, Riley —dijo entre sollozos—. Dice que vuelve a casa. ¡A casa!

Había pasado un mes, y ni la lluvia ni la obligación de trabajar dos o tres horas extras diarias empañaban la felicidad de Kirsty. Llovía intermitentemente desde hacía una semana pero, como buena neoyorquina, sabía que en febrero no se podía esperar otra cosa. Tarareaba una melodía de una comedia musical, mientras su mano izquierda tecleaba en la calculadora y la derecha escribía cifras al pie de cada columna. De tanto en tanto alzaba la vista hacia el calendario colgado en la pared, cortesía de una empresa de transportes aéreos. En sus treinta y nueve años de vida jamás había vivido un mes tan largo. Su impaciencia no era fruto del hastío sino de la expectativa. Su corazón y su mente sabían que el mes pasaría, aunque fuese un febrero húmedo y triste.

Kirsty ocupaba un cubículo cerrado con vidrieras frente a la oficina de administración. Le gustaba porque, a pesar de su pequeño tamaño, estaba hecho a prueba de ruidos. Los demás empleados, vendedores, personal administrativo y secretarias compartían lo que el señor Goldman denominaba con orgullo "la democrática oficina administrativa". Él, desde luego, ocupaba un despacho enorme y lujoso frente al cubículo, con placa dorada en la puerta, cortesía de la empresa de transportes aéreos que le traía toneladas de cosas de Hong Kong.

Aquel año estaban de moda las chaquetillas con lentejuelas, combinadas con largas faldas de terciopelo. Las empresas de transporte aéreo hacían buenos negocios. El gobierno estadounidense había contratado una flota de aviones para el transporte de grandes cantidades de hombres y pertrechos a Vietnam, en vista de la inminencia de la guerra. Los aviones volvían descargados, hasta que un par de empresarios chinos de Hong Kong comprendieron que era una magnífica oportunidad para exportar. Alquilaron los aviones por doce mil dólares cada uno. Aquello era lo que le permitía a Irving Goldman comprar las chaquetillas con lentejuelas fabricadas a mano en Hong Kong a un precio irrisorio. A los pocos días las recibía en Nueva York a noventa dólares la docena, incluidas las tasas de Aduana, las combinaba con faldas de ocho dólares y las vendía a los grandes almacenes a cuatrocientos dólares la docena. Se vendían millares. Aquél había sido un año fantástico, e Irving Goldman, profundo conocedor de los caprichos de la moda, pensaba vender la empresa con un beneficio neto del mil doscientos por ciento sobre su inversión inicial. Al cabo de cuarenta años de trabajo duro estaba a punto de convertirse en un auténtico millonario. Seguramente le ofrecerían el puesto de gerente del gran consorcio que adquiriera la empresa; si no, vendería sus acciones, y su apartamento de la calle Cincuenta y Cuatro Este, llenaría el depósito de su Cadillac y se dirigiría a Palm Beach, donde pensaba pasar el otoño jugando al golf y tomando martinis fríos, con el placer visceral de haber triunfado en la más dura de todas las competencias. Sabía que la moda de las chaquetillas con lentejuelas combinadas con faldas de terciopelo pasaría como una exhalación y cuando le hicieron tres ofertas por la empresa no lo dudó. La más atractiva era la de una poderosa compañía de programas para ordenadores.

Kirsty aporreaba la calculadora y anotaba las cifras mágicas. Hacía veinte años que trabajaba en Goldrite Fashions. Había entrado a los diecinueve años como modelo, y después había pasado al departamento de ventas, convencidos, tanto ella como su jefe, de que le faltaba "ángel" como vendedora. Cuando Kirsty enviudó, Goldman había empezado a tratarla con afecto casi paternal no exento de lascivia. Para contrarrestar esto último, ella le preguntaba constantemente por la salud de la señora Goldman, una dama que gozaba de justo renombre en la empresa por su carácter celoso y posesivo. La señora Goldman se probaba todas las "muestras" de cada temporada. Usaba la talla cincuenta y dos, pero el señor Goldman, ya fuese por generosidad o para evitarse dolores de cabeza, siempre tenía unas cuantas muestras hechas a su medida pero marcadas con la talla cuarenta y cuatro.

Los empleados se reían a sus espaldas cuando iba a probárselas, pero no se daba por aludida.

Kirsty alzó la vista y vio que Gerry Sachs, uno de los vendedores, le hacía señas desde el otro lado de la oficina. Le mostraba un vaso de plástico y señalaba con una ceja la máquina de café del rincón. Ella sonrió y negó con la cabeza. Gerry se encogió de hombros y volvió displicente a su escritorio. Todas las mañanas se acercaba a Kirsty con un par de cafés y se pasaba media hora contándole mentiras sobre su vida sexual. Ella lo sabía, pero el chico le caía simpático. Sin embargo, aquella mañana le había prometido a Irving que el balance estaría listo en pocos días. Quería terminarlo antes del 21 para tener libre la última semana de febrero.

Siguió trabajando sin interrupción hasta que, al cabo de una hora, se abrió la puerta que daba a la sala de ventas y Tracy, la recepcionista, entró en la oficina seguida por un policía muy alto. Llevaba la gorra en la mano y el escaso pelo que le quedaba era de color gris acerado. Al verlo entrar en el despacho de Goldman, Kirsty creyó reconocerlo. Tal vez la Aduana de los Estados Unidos había descubierto que Goldrite Fashions facturaba sus chaquetillas con lentejuelas a un tercio de su precio de venta al público, lo que el año anterior le habría permitido embolsarse doscientos treinta y cinco mil dólares en detrimento de las arcas de Hacienda. En tal caso, los sueños de Irving Goldman en Palm Beach sufrirían una demora. Tracy hizo pasar al agente al despacho de Irving y volvió a su escritorio en la sala de ventas. Al pasar por delante del cubículo miró a Kirsty y levantó las cejas. Kirsty reanudó su tarea, pero cinco minutos más tarde sonó su teléfono interno. Irving le pidió con voz seca que acudiera a su despacho inmediatamente. Colgó el aparato y sintió miedo. ¿La interrogarían? ¿Qué podía decir sobre las facturas? No sabía mentir. ¿Por qué Irving no la había escuchado cuando ella le dijo que las demás empresas importadoras traían productos similares y los facturaban a precio real? Los de la Aduana no eran tontos. Pero el miedo se desvaneció en parte: en caso de haberlos descubierto se hubiera presentado un inspector de aduanas, no un policía. Tal vez era por la oleada de robos en los depósitos de mercancías del aeropuerto de Idlewild. Una semana antes habían robado varias cajas de chaquetillas Goldrite.

A pesar de todo sintió temor al encaminarse lentamente al despacho de Irving, evitando las miradas curiosas de los empleados.

Llamó a la puerta y entró. En pie frente al escritorio, Irving y el agente hablaban en voz baja, como conspirando. Sus expresiones eran sombrías e inquietas. Kirsty se detuvo en la puerta. Irving se acercó, la cogió del brazo y la condujo suavemente hacia el rincón donde había varios sillones en torno a una mesa baja.

—Kirsty, el señor es el agente Buckley. Quiere hablarle de una cuestión personal. Esperaré fuera. Si me necesita, llámeme.

Perpleja y asustada, se dejó llevar hasta un asiento.

—¿Qué sucede, Irving?

—El agente se lo explicará... yo esperaré fuera.

Irving no trataba de disimular su incomodidad y su deseo de salir del despacho. Lo hizo rápidamente, tras un gesto con la cabeza al agente.

Éste puso su gorra sobre la mesa y se sentó frente a ella. Una gran cicatriz le surcaba la mandíbula y le desfiguraba el labio inferior, dándole a primera vista un aspecto amenazante. Pero había bondad en sus ojos cansados. Entonces Kirsty lo recordó. Hacía un mes había visto un atraco en la calle cerca de su casa y se había presentado espontáneamente en la comisaría para describir al atracador. El agente la había interrogado y felicitado por su espíritu cívico. En aquella ocasión había hablado con precisión y fluidez pero ahora, aparentemente, le costaba encontrar las palabras.

—¿Qué sucede, agente?

El policía se enderezó y cogió aliento.

—Quería hablarle personalmente. Nos conocimos hace unos meses, en la comisaría.

—Lo recuerdo.

—Bien. He ido a su apartamento pero no había nadie. Teníamos la dirección de su oficina en nuestro archivo, por eso he venido...

Hizo una pausa y añadió rápidamente:

—Lo siento mucho, señora Haywood, le traigo malas noticias. Su hijo...

—¿Garret? Está...

—Lo sé —suspiró el agente—. Recibimos un telegrama del Departamento de Estado en Washington. La noticia proviene de nuestra Embajada en Dar es Salaam, Tanzania. El día 16, el capitán del barco de propiedad privada *Jaloud* informó que el 10 de febrero su hijo cayó por la borda en medio de una tempestad, a trescientos kilómetros de la costa oriental de África...

Kirsty lo miraba inmóvil, como un animal nocturno hipnotizado por los faros de un coche. Negaba con la cabeza lentamente. El agente sacó de su bolsillo una hoja de papel blanco con los bordes azules. Se la tendió por encima de la mesa. Ella se echó hacia atrás y empezó a susurrar:

—No... no... no...

—Lo siento mucho. Hubiera sido mejor que un pariente le hubiese dado la noticia, pero el señor Goldman me ha dicho que no tiene familia en Nueva York. Mencionó a su amigo Larry, pero en su oficina me han informado que estará en Chicago hasta el viernes.

Kirsty parecía no escuchar; miraba el papel con los bordes azules; sacudía la cabeza y susurraba para sí.

No era la primera vez en su larga carrera que el agente trasmitía una noticia como ésta. En tales ocasiones, pasado el primer momento de estupefacción, sobrevenía el llanto. Esto jamás dejaba de conmoverle, aunque algunos casos eran peores que otros. Pensó que éste sería de los peores; una viuda joven, sin familiares cercanos... y su único hijo, muerto a los dieciocho años de edad. Mientras esperaba se preguntó si no debería acercarse, reconfortarla. Buscó palabras de consuelo que no parecieran ridículas.

Pero, para su sorpresa, Kirsty suspiró profundamente, sus dedos crispados se relajaron y su delgada mandíbula reprimió un leve temblor. Su piel estaba muy pálida, sus ojos eran celestes y separados... y no había lágrimas en ellos.

Bruscamente dobló la hoja de papel, se levantó, y se alisó la falda maquinalmente. Se encaminó hacia la ventana y el agente se volvió para mirarla: incluso en aquel trágico momento se mantenía atractiva. Fuera, el tráfico estaba embotellado en la Séptima Avenida, la lluvia caía sin cesar y por las aceras se veían miles de paraguas ambulantes.

—¿Puedo ayudarla en algo, señora Haywood?

Ella negó con la cabeza, su cabello rubio ondulando sobre sus hombros:

—Nada, a menos que quiera decirme que ha sido un lamentable error, o que lo encontrarán. —Bruscamente, un pensamiento la alentó—. Usted ha dicho que sucedió el 10... hace ocho días. Tal vez lo haya encontrado otro barco... es decir...

—Lo siento. Es lógico que usted quiera tener esperanzas. —El agente señaló el papel—. El cónsul ha hablado con el capitán y los tripulantes. Han recorrido la zona durante tres días, a pesar del mal tiempo. Estaban a trescientos kilómetros de la costa. No había otras embarcaciones. Ha sucedido muy lejos de las rutas marítimas normales... Lo siento.

El brillo de esperanza que había en sus ojos se apagó paulatinamente. No hubo lágrimas. El agente se inclinó para recoger su gorra.

—¿Tiene alguien que la acompañe esta noche?

—No. Pero no se preocupe. Gracias.

Fue hacia la puerta, se detuvo un instante, vaciló y dijo:

—Mi esposa y yo somos vecinos suyos. Tenemos una habitación de invitados. Si quiere pasar unos días con nosotros...

Kirsty se giró con una sonrisa triste en los labios.

—Se lo agradezco, pero estoy bien. Le agradezco que haya venido en persona... Por favor, dígale al señor Goldman que quisiera estar sola un momento.

Tanto estoicismo asombraba al agente. Era una actitud extraña. Miró hacia la ventana y le asaltó un repentino temor.

—No estará pensando en cometer una locura.

—¿Locura? —Kirsty lo miró perpleja y entonces comprendió—: No, agente. No se preocupe, no soy tan valiente.

—Bien, si me necesita, estaré en la comisaría. Si no, ellos sabrán dónde encontrarme... ¿de acuerdo?

—Gracias.

Vaciló un instante, incómodo, pensando que debería decir algo más, pero comprendió que nada serviría para consolar a aquella mujer, de manera que hizo un breve gesto con la cabeza y salió, cerrando la puerta tras de sí.

Kirsty se sentó frente a la mesa y echó una mirada al despacho: el ostentoso escritorio de Irving, con la foto de la señora Goldman y sus dos hijos en marco de plata. Los diplomas en la pared, uno que certificaba que Irving era miembro del Clipper Club de Pan American, otro del Ambassador Club de TWA. Cartas del B'nai N'rith, y el Partido Demócrata agradeciendo sus donaciones. Una vieja carta del alcalde de La

Guardia. Una estantería llena de adornos. Su mente no lograba concentrarse. Luego cogió el papel y leyó las frías palabras oficiales: el joven Garret James Haywood había muerto, presumiblemente ahogado. Los detalles que seguían convertían la palabra "presumiblemente" en una mofa: tres días de búsqueda, ninguna embarcación en las cercanías, fuera de las rutas normales, aguas infestadas de tiburones.

Se obligó a aceptar la realidad, sobre todo al leer, hacia el final de la nota, que le enviarían los efectos personales de Garret. La ropa de su hijo volvería a casa. Él no.

Hizo una bola con el papel y lo tiró a la papelera bajo la mesa, luego se preparó para soportar las condolencias de su jefe y sus compañeros. Algunos, como Irving, se mostraron respetuosos, tímidos y lacónicos. Otros la abrumaron con palabras y lágrimas. Rechazó varias ofertas de compañía y le dijo a Irving que prefería no tomarse un descanso. Seguiría con el balance esa misma tarde. La actividad le permitiría sacarse de la cabeza aquella pesadilla.

Luego volvió al cubículo y se puso a trabajar con las facturas, los albaranes, las cartas comerciales y los comprobantes de carga aérea.

Una hora más tarde hizo una pausa, se sirvió un café y se quedó mirando la ventana de la pared de enfrente. Sus ojos se posaron en su bolso en un rincón del escritorio. Lo abrió, sacó una carta y una postal. La carta tenía el sello de Sri Lanka. Garret le anunciaba que volvía a casa. Tenía poco dinero, pero lo habían contratado en un velero que iba a Tanzania, pasando por las islas Seychelles. Tardaría un mes, más o menos. Desde allí trataría de conseguir un billete barato a Nueva York. Que no le enviara dinero ni pasaje aéreo, se las arreglaría solo. Además, quería hacer la travesía marítima. En la India lo había pasado a veces bien, a veces mal, en Sri Lanka generalmente bien. Ya le contaría. Tenía muchas cosas que contarle. Ahora comprendía mucho más de la vida.

Guardó la carta, sacó la postal. Sello de las Seychelles, 4 de febrero. Hasta aquel momento, buena travesía. Unas islas paradisíacas, dentro de pocos días partirían hacia Tanzania, adonde llegarían alrededor del 20. Tenía lo suficiente para el billete de avión. La quería.

Kirsty dio la vuelta a la postal y la puso sobre el escritorio. Una playa larga, completamente desierta. Palmeras encorvadas sobre el agua.

Sus ojos se llenaron de lágrimas. Lágrimas de dolor, de amor, de remordimiento.

Irving volvió a la oficina poco después de las ocho en busca de unos documentos que debía llevarle a su abogado a primera hora de la mañana. Abrió la puerta y se sorprendió al ver la luz encendida. A través de la vidriera vio a Kirsty inclinada sobre su escritorio. Antes de que ella alzara la vista él ya había abierto la puerta del cubículo.

Jamás había visto tanto dolor y angustia en su rostro. Por las mejillas le corrían ríos de lágrimas. El maquillaje se le había corrido, tenía los ojos irritados y una expresión perpleja, derrotada, como un animal que agoniza sin saber por qué.

Irving se detuvo un instante, impresionado, luego se acercó lentamente a Kirsty.

—¿Por qué, Irving? —gimió ella—. ¿Por qué? Primero Kevin, ahora Garret. No tenía a nadie más en el mundo. ¿Por qué?

Irving era elocuente en los negocios. Pero las palabras de consuelo no le venían fácilmente a los labios. Pasó las manos sobre sus hombros y la miró a los ojos.

Kirsty se levantó, torpemente, y él la sostuvo, la abrazó y sintió que su cuerpo se estremecía por los sollozos.

—Todo lo que tenía... me lo han quitado. Se acabó.

—Tiene que ser fuerte, Kirsty. Más adelante se sentirá mejor.

Ella posó la cabeza sobre su hombro.

—¿Qué pasará más adelante? No me queda nada. Nada.

Irving la abrazó, le palmeó la espalda como si fuera una niña. Finalmente decidió que lo mejor era mostrarse firme.

—Kirsty, querida, es horrible pero ya ha pasado. Ha tenido mala suerte. Primero Kevin, ahora Garret. Pero cuando sucede algo así, hay que afrontarlo. Usted es una mujer fuerte. Tiene que encontrar la manera de sobreponerse. Recuerde que hay cosas por las que aún vale la pena vivir.

—¿Cuáles, Irving?

—Reaccione Kirsty. Tiene amigos y un trabajo. Una vida por delante...

Cuando alzó los ojos, Irving comprendió que ni él ni nadie sería capaz de consolarla.

—Tiene que hacer un esfuerzo, querida...

La expresión de perplejidad había desaparecido de su rostro, reemplazada por otra cosa.

—Ha sido culpa mía, Irving —dijo de pronto—. Yo le obligué a marcharse. He matado a mi hijo, mi único hijo —y comenzó a llorar desconsoladamente.

2

En Bombay, al otro lado del mundo, otra persona lloraba la muerte de un ser querido. Ramesh Patel, un contable de cuarenta y ocho años de edad, era uno más de los miles de anglohindúes que habían permanecido en la India después de la independencia. Se diferenciaba de la mayoría de los anglohindúes en que no era hijo de padre inglés y madre hindú, sino que su madre era inglesa. La mujer había sufrido la marginación y los insultos de sus compatriotas por haberse enamorado y casado con un comerciante hindú. El padre de Ramesh había muerto en los motines posteriores a la independencia, después de perder su empresa.

La madre de Ramesh había preferido no regresar a Inglaterra, amargada por la incomprensión. Los parientes de su esposo, aunque no eran ricos, le habían conseguido una pequeña vivienda y, gracias a un amigo de la familia, Ramesh había conseguido trabajo como administrativo, o *babu*, en la Aduana de Bombay. El sueldo era pequeño a pesar de que en pocos meses lo habían ascendido a subjefe del departamento de contabilidad. La mayoría de sus colegas incrementaban sus ingresos mediante pequeños "favores" a los comerciantes con que trataban, pero Ramesh era, por naturaleza y educación, un hombre honrado que rechazaba las frecuentes ofertas de *backsheesh*.*
Esto lo convertía en objeto de bromas entre sus cole-

Backsheesh: soborno (N. del T.)

gas, cosa que no le molestaba. Tenía gustos y placeres sencillos y vivía tranquilamente con su madre, quien ganaba algún dinero dando clases particulares de literatura inglesa. Diez años antes se había enamorado de una muchacha de Goa, la ex colonia portuguesa al sur de Bombay. Habían estado a punto de casarse, pero los padres de ella se opusieron al matrimonio a raíz de la posición económica de Ramesh.

Por consiguiente, seguía viviendo con su madre en la pequeña casa de las afueras de Bombay. Su principal distracción era la lectura de novelas históricas y de aventuras en el mar; y las esporádicas salidas con su amigo Jaran Singh, empleado del departamento judicial de la ciudad.

Esta vida apacible llegó a su fin el día en que su madre enfermó de cáncer. Tardó once meses en morir, en una cama de una sala atestada y ruidosa de un hospital. Cuando la dignidad de la muerte puso fin a su dolor, Ramesh sintió cierto alivio.

Al vaciar los viejos baules de viaje de su madre, llenos de cartas y de ropa, encontró un objeto pesado, envuelto en papel de estraza y atado con hilo de pita. Deshizo el envoltorio y descubrió que se trataba de una escultura de piedra de casi treinta centímetros de altura. Una mujer de curvas pronunciadas, labios gruesos, ojos rasgados y palmas unidas. Recordó entonces que había visto la estatuilla muchos años antes. Su madre le había dicho una vez que era un regalo a su padre de un funcionario del gobierno colonial en el estado de Madhya Pradesh. Tras la muerte del padre de Ramesh la había guardado y olvidado.

Cuando su amigo Jaran Singh fue a darle sus condolencias le mostró la estatuilla. Jaran pensó que podría ser valiosa y se ofreció para enseñársela a un conocido suyo, experto en arte hindú. Éste dijo que era una pieza del siglo X, en piedra arenisca, de la diosa-serpiente Nagi, y que valía como mínimo cien mil rupias. El equivalente a diez años de sueldo de Ramesh. Pasado el primer momento de estupefacción, Ramesh pensó con tristeza que con aquel dinero su madre hubiera podido pasar sus últimas semanas de vida en un cómodo sanatorio.

Su oficina se encontraba en el tercer piso de la Administración de Aduanas, con vista panorámica a la dársena de la comandancia. La Aduana, al igual que todas las dependencias oficiales, tenía demasiados empleados, y Ramesh disponía de mucho tiempo libre. Pasaba la mayor parte de la tarde mirando por la ventana a los grandes barcos que atracaban en el muelle, o se dirigían a las grandes dársenas comerciales del norte.

Le fascinaban el mar y los barcos, merced a sus lecturas. Había leído centenares de libros, en su mayoría anteriores a la partida de los ingleses. Conocía los viajes de los antiguos navegantes y también las hazañas de los héroes de Stevenson, Melville y Conrad. Bajo su aspecto tímido, de ratón de biblioteca, se ocultaba un corazón romántico.

Un sucio vapor mercante enfilaba hacia la dársena Alexandra. Ramesh bajó los ojos hacia el amarre de la Aduana, donde estaba anclado un viejo velero con motor que tenía trece metros. Hacía seis meses que estaba allí, desde que encarcelaron a su dueño, un contrabandista de Madrás. Dentro de pocos días iría a subasta. Él mismo había hecho el inventario del velero: tenía un motor Perkins con treinta años de uso continuado, la cubierta en mal estado y las velas convertidas en harapos. Sin embargo, al subir al barco, había percibido con asombro el anhelo del mar que latía en las entrañas del navío.

Era como una anciana dama que había conocido tiempos mejores. Tenía la pintura descascarillada y el barniz descolorido y picado. La madera del casco debía de estar podrida, los mástiles agrietados y el viejo motor agonizante, con las válvulas obturadas y los pistones gastados.

Aquel barco le recordó los últimos días de su madre. Una anciana que luchaba con dignidad contra el avance de la degeneración. Desde su ventana no alcanzaba a leer las letras descoloridas de la popa, pero recordaba el nombre, que también era el de una diosa: *Manasa*.

Mil quinientos kilómetros al sur de Bombay, Lani Sutowo se libró de la mano huesuda que buscaba sus pechos, evitó el abrazo anhelante y salió corriendo a la calle polvorienta por la puerta trasera. Una risotada cruel resonaba en sus oídos. Siguió corriendo entre las hileras de chabolas de madera con techo de cinc hasta que la calle se convirtió en un sendero desdibujado en el polvo. Se detuvo, tomó aliento y miró hacia atrás. Aparte de un grupo de niños que jugaban en una obra, el lugar estaba desierto. La mayor parte de la población de Male, capital de las islas Maldivas, dormía la siesta a resguardo del sol. Lani era una silueta menuda y triste, enfundada en anchos pantalones negros y una vieja blusa blanca, que caminaba hacia el borde de la laguna. El cabello negro y lacio le llegaba hasta la cintura. Al llegar a la orilla arenosa se quitó las sandalias de plástico. Su rostro tenía rasgos achinados y la tez cobriza de Sumatra. En las grandes migraciones chinas del siglo XIX sus antepasados habían partido de la provincia de Cantón a Singapur, y de allí a Medán, en la costa de Sumatra. Su familia había vivido pacíficamente allí durante más de un siglo hasta que el Partido Comunista Indonesio, integrado principalmente por trabajadores de ascendencia china, se había alzado contra el gobierno de Sukarno. El ejército había aplastado la insurrección y luego, durante seis meses, había permitido que la población indígena masacrara a más de doscientos mil chinos. En Medán habían muerto más de mil quinientos, entre ellos los padres de Lani y casi todos sus familiares. Uno de sus hermanos había logrado embarcarla en un pequeño mercante que se dirigía a Sri Lanka, con dinero suficiente como para llegar a las islas Maldivas, donde unos parientes lejanos podrían tal vez acogerla.

Y la habían acogido, pero obligándola a trabajar doce horas diarias en su tienda de ultramarinos en las afueras de la capital. Además debía soportar el persistente asedio del esposo de su prima.

Lani se apoyó en el tronco de una palmera caída y contempló el mar en dirección a Sumatra. Añoraba su hogar. Pero eso pertenecía al pasado; una carta de una prima suya en Yakarta decía que no quedaban supervivientes de su familia.

Se giró hacia la aldea. Era sucia, de casas muy bajas. Había pocos chinos en las Maldivas, apenas un puñado de comerciantes que ganaban lo imprescindible para sobrevivir. Los nativos la trataban con una mezcla de indiferencia y desprecio, salvo los hombres que anhelaban su cuerpo. Pero Lani pertenecía a una estirpe de supervivientes. Ya encontraría la manera de abandonar la isla.

Al otro lado del Océano Índico, en el rincón más desolado del desierto de Arabia Saudita, un equipo de perforación petrolífero se hallaba en un pozo aislado. La temperatura superaba los cuarenta grados y los ocho hombres sudorosos trabajaban sin tregua alrededor del engendro mecánico. Conectaban un nuevo tubo de diez metros. Llevaban cascos color naranja, botas con puntera de acero, pantalones cortos y el torso desnudo. Se movían torpemente siguiendo las órdenes de un joven gigante cuyo cabello rubio asomaba bajo el

34

casco. Pusieron el tubo en posición y le colocaron las cadenas que lo harían girar. El barro inundó la plataforma, el tubo empezó a girar. Dos mil trescientos metros más abajo, la perforadora penetraba lentamente en la roca jurásica, en su lento avance hacia el oro negro.

Los hombres del equipo se apartaron, limpiándose el barro y riendo de alguna broma. El gigante rubio se quitó el casco y con el revés de la mano se secó el sudor que le cubría la frente. Miró su reloj y soltó un gruñido de satisfacción.

La puerta de la caseta situada a sus espaldas se abrió y una voz gritó:

—¡Cady!

Todos se dieron la vuelta. El jefe de equipo miraba la plataforma cubierta de barro con cara de asco.

—¿Qué es esta porquería?

—Diablos, jefe, acabamos de hacer una conexión.

—¿Y qué? La plataforma tiene que estar limpia. Ya deberías saberlo.

—Lo sé. Y también sé que hay que meter la perforadora antes de limpiar el barro.

El hombre de la caseta sonrió despectivamente.

—No sabes nada, eres un bebé. Diez años atrás, los niños como tú no podían ni acercarse a estos aparatos.

Entró en la caseta y dio un portazo.

Cady murmuró una maldición y el inyeccionista lo miró con una sonrisa divertida.

—No dejes que este hijo de puta te saque de tus casillas. Está celoso. Hasta los treinta y cinco años no pudo ni acercarse a un pozo, y tuvo que esperar diez años a que lo hicieran jefe. Además, detesta a los canadienses... su esposa es de allí.

—Sí, lo sé. Pero hemos hecho la conexión en menos de tres minutos. Un día le voy a hacer tragar los dientes.

35

—Me parece muy bien. —Señaló la torre con el pulgar—. Si el día que lo hagas estoy allá arriba, en la plataforma de enganche, bajo por la cuerda y te beso el culo.

Cady rió y miró el cable de acero tensado que bajaba de la plataforma de enganche al suelo, a buena distancia de la torre. Era la única vía de escape que tenía el operario si el pozo se derrumbaba.

—Te tomo la palabra, Cam. Bueno, manos a la obra. Hay que limpiar la plataforma.

3

El paquete postal llegó por la mañana; venía del Ministerio de Asuntos Exteriores. Pero Kirsty no lo abrió hasta la noche. Preparó un *boeuf strogonoff* para Larry y ella. Él descorchó una botella de buen vino y bromeó durante toda la cena para levantarle el ánimo.

Se arrellanó en el sofá mientras ella abría el paquete en el dormitorio. Era un momento muy íntimo, sabía que no debía violarlo.

Luego ella recogió los platos de la mesa y él elogió sus dotes de cocinera. Kirsty sonrió débilmente y se fue con la bandeja a la cocina.

Larry sacó un cigarrillo y estaba a punto de poner en marcha el televisor cuando oyó que Kirsty lo llamaba. Estaba en la puerta de la cocina. No había dejado la bandeja.

—Larry, no está muerto.

—¿Qué dices?

—Garret no está muerto.

Kirsty volvió lentamente al comedor y apoyó la bandeja sobre la mesa. Había una luz extraña en sus ojos.

—No está muerto, Larry. Estoy segura.

—¿Por qué estás tan segura? —preguntó él con voz muy suave.

—Ha sido una sensación que he tenido al ver su ropa. Y ahora... en la cocina... Está vivo, estoy segura.

—Vamos, Kirsty —suspiró él—. Siéntate, tratemos de razonar. —Ambos se sentaron en el sofá y

Larry le cogió las manos—. Kirsty, amor mío, piensa un poco. Es lógico. Has tenido una impresión al ver su ropa. Pero está muerto...

Ella sacudió la cabeza con fuerza.

—No, Larry. Aunque parezca irracional, sé que está vivo. ¿Cómo explicártelo...? Es mi hijo. Es algo que siento. Está vivo. Si estuviera muerto también lo sabría.

—Las pruebas indican lo contrario, Kirsty —dijo él, encogiéndose de hombros—. No quiero herirte, pero ese instinto maternal es muy común. Todas las madres lo tienen, hasta que ven el cadáver. Tú nunca verás su cadáver, por eso tendrás esta sensación el resto de tu vida. No soy psicólogo, pero sé de muchas mujeres cuyos esposos o hijos desaparecieron en Corea, y todavía creen que están vivos, presos en Corea del Norte o en China.

—No es lo mismo, Larry. Hay indicios. No muy verificables, pero...

—¿Cuáles?

Kirsty fue al dormitorio y volvió con un sobre grande. Se lo tendió.

—Aquí tienes el pasaporte, cartas, el informe oficial y una carta del cónsul. Lee la carta.

Larry vació el contenido del sobre en la mesa baja. Abrió el pasaporte. Vio la foto de un joven rubio, de rostro agradable, atravesada por un grueso sello que decía "cancelado". Lo cerró rápidamente y cogió la hoja estampada con el águila de los Estados Unidos. Leyó la hoja y alzó la vista. Ella lo miraba fijamente.

—Es... Muy atenta —dijo con cautela.

—Sí, pero hay algo más. Dice que, en vista de las circunstancias, se habló personalmente con el capitán y los tripulantes para que ratificaran sus declaraciones a la policía de Tanzania. También se verificó el estado del tiempo en la zona en el momento del accidente y era bastante malo... Sólo *bastante* Larry.

—¿Adónde quieres llegar?

—Lo que se lee entre líneas es que algo debió despertar las sospechas del cónsul. Si no, ¿por qué se preocuparon en verificar todo tan exhaustivamente?

—Es su deber, Kirsty.

—Es asunto de la policía, no del consulado. Tengo la sensación de que sospechan algo.

Larry abrió los brazos, exasperado.

—De acuerdo —replicó ella, bruscamente enojada—. Pero es mi hijo y tengo el presentimiento de que está vivo. —Súbitamente se puso en pie—. ¡El diario!

—¿Qué diario?

—¡El diario de viaje de Garret! En su última carta, la de Sri Lanka, dice que está escribiendo un diario de viaje desde que se marchó. No lo han enviado con las demás cosas. ¿Por qué? No creo que lo llevara en el bolsillo cuando cayó por la borda. —Empezó a pasearse por la habitación—. Además falta el reloj. Era de su padre. Se lo quitaba siempre cuando se bañaba o estaba en la playa, aunque es sumergible. Tampoco lo han mandado.

—¡Kirsty, escúchame! Siéntate, por favor.

Ella se sentó y escuchó sus argumentos con expresión de mucha paciencia. Era una reacción natural, dijo Larry. Aunque fuese verdad que el cónsul tuviera sospechas no había manera de demostrar nada. En cuanto al reloj, si era valioso lo habrían robado los tripulantes, incluso era probable que lo hubiera perdido en la India. Ninguna de sus sospechas merecía una investigación.

—¡Pero no robaron su dinero! —replicó ella con tono agresivo—. Cuatrocientos dólares, justo lo necesario para el billete de avión. Se los entregaron al cónsul.

—Sí —dijo él, con un suspiro.

—¿Y por qué no le dieron el diario? Eso no tenía ningún valor.

—Tal vez el cónsul no quiso enviarlo. Tal vez decía cosas... que te producirían una pena mayor.

Con mirada escéptica Kirsty cogió la carta y releyó una frase:

—"El capitán del *Jaloud* se llama Danny Lascelles. Padre francés, madre turca." Me pregunto qué clase de tipo será ese Lascelles...

—¡Al diablo con todo eso! —exclamó Larry, sin poder contener su fastidio—. Kirsty, fue un accidente. Son cosas que pasan.

—Hay algo más —agregó ella, esta vez con menos convicción—. Tú no lo entenderías...

Larry la interrumpió con un bufido despectivo:

—Ni yo ni nadie.

—Voy a llamarle.

—¿A quién?

—Al cónsul en Dar es Salaam —dijo Kirsty, agitando la carta—. Howard Godfrey.

—¡Kirsty, por el amor de Dios!

—Sólo quiero que me devuelva el diario de Garret, si es que lo tiene.

La expresión de Larry se volvió hosca. Se encogió de hombros como para desentenderse de todo el asunto.

—Como quieras. Me doy por vencido; no hay forma de hacerte entrar en razón. —Miró su reloj, fue al televisor y lo puso en marcha. Luego fue a la cocina, volvió con una lata de cerveza y se acomodó en el sofá con un gruñido.

Kirsty se sentó junto al teléfono y no tardó en descubrir lo difícil que era comunicarse con África Oriental desde Nueva York. Nunca había tratado de llamar al otro lado del Atlántico. La operadora le dijo con voz fría e indiferente que no había comunicación directa con Tanzania. Tendría que establecer un enlace con Londres y podría tardar varias horas. Además había una diferencia de ocho horas. ¿Estaba segura de encontrar a la persona que buscaba? Kirsty dijo que quería hablar con la Embajada. La voz de la operadora perdió algo de su frialdad: ¿era una emergencia? Kirsty vaciló, lanzó una mirada al rostro preocupado de Larry y dijo:

—Se trata de mi hijo. Ha desaparecido. Quiero hablar con el cónsul.

Bruscamente, la voz de la operadora se volvió cálida y solidaria. Trataría de establecer el enlace lo antes posible, pero dependía de Londres. Si el cónsul no estaba en la Embajada, seguramente el funcionario de guardia sabría dónde localizarlo. La llamaría lo antes posible, pero debía prepararse para una espera que podía ser larga.

La conferencia tardó tres horas. Larry se había ido a dormir, tras darle un beso fugaz. Kirsty vio la televisión un rato y luego limpió la cocina a fondo. La operadora la llamó dos veces para decirle que la comunicación estaba retenida en Londres. La tercera vez oyó un zumbido y varios crujidos y luego una voz inglesa que hablaba con otra. Varios chasquidos y una voz muy lejana que decía "Embajada de los Estados Unidos". La voz inglesa preguntó por el señor Howard Godfrey, de parte de la señora Haywood de Nueva York. Pasó un minuto, un chasquido, y una voz dijo:

—Soy el cónsul Howard Godfrey. ¿En qué puedo servirle?

La voz tenía acento de Nueva York y sonaba bondadosa a pesar de la distancia y la distorsión. Kirsty se echó a llorar.

La operadora de Nueva York salvó la situación. Intervino en la conversación, le pidió a la operadora de Londres que no cortara. Le dijo a Kirsty que se tranquilizara. En tono práctico le dijo que era una comunicación por radioenlace, que después de hablar ella, la respuesta tardaría varios segundos en llegar, a diferencia de una comunicación normal. Tendría que alzar la voz.

Tardó un rato en recuperar el habla. Sentía miedo. No quería que aquella agradable voz neoyorquina confirmara la muerte de Garret. Había logrado convencerse de que estaba vivo, no quería perder esa ilusión. Por fin acercó el aparato a su boca y empezó a hablar en voz muy alta.

Sus gritos despertaron a Larry, quien se sentó en la cama, bostezó, encendió la luz, abrió apenas los ojos e hizo una mueca de fastidio al comprobar la hora que era.

La conversación duró cinco minutos y pasaron otros cinco antes de que se abriera la puerta del dormitorio. Kirsty se sentó al pie de la cama, con los ojos clavados en la alfombra.

—¿Y bien?

—Ni diario ni reloj. Habló con Lascelles y la tripulación porque son gente de mala reputación. Pero dice que no hay forma de probar nada. Dice que debo aceptar la muerte de Garret.

Larry asintió con alivio:

—Me alegro de que hayas podido hablar con ese hombre. Así te convencerás.

Kirsty tardó varios minutos en responder. Finalmente dijo, con voz inexpresiva:

—No estoy convencida. Mi hijo está vivo. Iré a buscarlo. —Sonrió ante la mirada estupefacta de Larry—. Sí, Larry. Iré a buscar a mi hijo. Garret se marchó por culpa mía. Fui una mala madre.

—No digas tonterías.

—Es cierto. Garret es igual que Kevin, inquieto, siempre en movimiento. Lo sobreprotegí durante ocho años. Siempre lo tuve pegado a mis faldas. Por eso, a la primera oportunidad se largó. No estaba preparado para hacer este viaje... por mi culpa. Ahora está metido en problemas y me necesita.

La expresión de Larry era hosca.

—Necesitarás dinero.

—Venderé el apartamento.

Él hizo un gesto despectivo.

—Hay dos hipotecas sobre este apartamento. Los precios han bajado, con suerte sacarás en limpio quinientos dólares.

—Venderé mis joyas.

—¡Por Dios! No seas ingenua. Un collar de perlas cultivadas: trescientos como máximo. Y las pocas cosas que heredaste de tu madre tienen un valor puramente sentimental. Tu marido no podía darse el lujo de ser generoso en sus regalos. —Bruscamente se enderezó—. ¿No estarás pensando en vender el reloj que te regalé?

Ella negó con la cabeza, con expresión ausente.

—Conservaré tu reloj, Larry. No importa. Conseguiré el dinero como sea. —Y añadió con voz firme—: El televisor.

—Cien más, con suerte.

Le enseñó los dos anillos en el anular de su mano izquierda.

—Si es necesario venderé el anillo de compromiso y la alianza. El anillo de compromiso es bueno.

Larry miró la delgada cinta de oro engarzada con cuatro pequeños brillantes y suspiró.

—Amor mío, cuando trates con esos usureros que compran joyas de segunda mano te llevarás una sorpresa muy desagradable. No creo que puedas juntar mil dólares siquiera. —Se inclinó hacia ella—. No puedo ayudarte, Kirsty. Tengo que pasarle dinero a mi ex mujer, mantener a mi hijo, pagar una hipoteca. No puedo. Y aunque pudiera no lo haría... Me niego a financiar una locura.

—Tampoco te lo pediría, Larry.

Él la miró con asombro.

—No te entiendo, Kirsty. Estás quemando todas las naves. Volverás con las manos vacías. Ni siquiera tendrás dónde vivir. Si abandonas tu trabajo justamente ahora, Irving contratará a otra persona. Hay escasez de trabajo y los contables sobran. ¿Quieres abandonarlo todo por una vaga intuición?

—No es vaga. Garret está vivo, lo sé.

—¡Está muerto, mierda! —estalló Larry—. ¡Debes afrontar la realidad!

Kirsty sacudió la cabeza con aplomo.

—Eso es lo que escribió un hombre de dudosa reputación en su libro de bitácora. Quiero hablar con ese hombre.

4

—Está resuelto —dijo Ramesh Patel con energía, y su amigo Jaran Singh soltó una carcajada. Ocupaban una mesa en su restaurante preferido, un local pequeño y modesto detrás de la estación de Cotton Green. La comida era barata y muy variada; sus clientes eran viajeros de todas partes de la India. Aquella noche habían pedido pollo *vindaloo* con *dal* y *chapattis*.

Jaran cogió un trozo de pollo con la mano, sin dejar de reír.

—Búrlate si quieres —dijo Ramesh—. Te llevarás una sorpresa cuando me veas zarpar.

Jaran tragó y sacudió la cabeza.

—La sorpresa la tendrás tú. Te estrellarás contra el primer escollo que se te cruce. Lees demasiados libros, amigo mío. Eres un soñador. Yo también lo soy, pero jamás permito que mis sueños me influyan fuera del dormitorio; es demasiado peligroso. ¿Y el precio?

—Aún no lo sé —replicó Ramesh con fastidio—. Pero el subastador dice que sólo dos o tres personas han ido a ver el barco, y que con suerte logrará vender los aparejos y el motor. Con treinta mil rupias bastará.

Jaran se limpió las manos con la servilleta.

—No me sorprende. Ese cascajo es más viejo que tú... y no oculta su edad.

—Lo sé —asintió Ramesh—. Pero es sólido. Es de madera de teca y caoba. Lo inspeccioné junto con Murjani, el ingeniero del puerto. Dice que necesita reparaciones, incluso un nuevo motor. Pero me ayudará. En un mes estará listo para navegar.

—¡Ramesh, no eres marinero! La navegación requiere ciertos conocimientos. ¿Cómo te las apañarás?

—Aprenderé. Esta mañana encontré un manual de navegación en la librería de Harilela. Lo escribió un norteamericano durante la guerra. Parece una vieja Biblia. Ahí está todo lo que necesito saber.

La serena determinación de su amigo acabó por impresionar a Jaran. Lo conocía desde hacía veinte años y lo apreciaba por su lealtad y por su fino sentido del humor. También porque, aunque anglohindú, no despreciaba a la India ni a su pueblo, ni se consideraba inglés, aunque su tez pálida y sus rasgos eran más anglosajones que hindúes. Al comprobar que nada podía cambiar la decisión de Ramesh, la risa de Jaran se convirtió en preocupación. Que una inexperta rata de biblioteca, de cuarenta y ocho años, se hiciera a la mar en un barco destrozado era el colmo de la temeridad. ¡Y su amigo se proponía además hacer una gran travesía, guiado tan sólo por sus libros y su romanticismo! ¿Y por qué no llevaba al menos un acompañante? Ramesh sonrió.

—¿Quieres venir conmigo, Jaran? Te nombraré timonel, a menos que prefieras ser jefe de máquinas.

Jaran no sonrió.

—Estas aventuras no son para mí. Me gusta el mar, sí... pero desde lejos y cuando está en calma. ¿No has buscado tripulación?

—¿Quién sería tan tonto? —preguntó Ramesh, abriendo las manos—. Y en cuanto a contratar gente, no me alcanzaría el dinero.

—¿Qué harás cuando se te acabe?

—Trabajaré... ya veremos. No te preocupes, Jaran. No soy el primero que lo intenta. Joshua Slocum lo hizo hace noventa años, y era más viejo que yo.

El argumento no convenció a Jaran.

—Slocum era un navegante experto, si no me equivoco.

—Efectivamente —asintió Ramesh—. Pero no aprendió sentado a un escritorio.

—¿Qué rumbo seguirás?

Ramesh se inclinó sobre la mesa; sus ojos pardos brillaban de entusiasmo.

—Primero iré hacia el sur, hacia las islas Maldivas. De ahí hacia el suroeste, hasta las islas Seychelles. Luego hacia África. Seguiré la costa hasta Egipto, cruzaré el canal de Suez rumbo al Mediterráneo y...

La mirada de Jaran era de escepticismo.

—¿Y qué pasará si no te topas con las Seychelles?

Ramesh se encogió de hombros y sonrió con picardía.

—En ese caso seguiré hacia el oeste; algún día chocaré con África, es demasiado grande para no verla.

Jaran no sonrió. Ramesh siguió hablando con febril convicción. Desde la muerte de su madre, dijo, no era responsable de nadie, no tenía parientes cercanos. Gracias a la venta de la escultura contaba, por primera vez en su vida, con un pequeño capital y la posibilidad de transformar sus sueños en realidad. Durante toda su vida no había sido más que un *babu* insignificante, que corría de aquí para allá a las órdenes de los demás. Aunque no era robusto ni fuerte, tenía la oportunidad de demostrar que era un hombre de verdad, capaz de arreglárselas solo en el mundo. Tal vez, como decía Jaran, encallaría en el primer escollo, a cinco kilómetros de la costa. Pero estaba resuelto a hacerse a la mar en su propio barco.

Jaran sonrió y le palmeó el hombro.

—De acuerdo. Veo que estás resuelto a seguir adelante con esta locura y nadie puede convencerte de lo contrario. Me gustaría ayudarte, aunque no sé nada de barcos.

—Acompáñame a la subasta mañana. Si lo compro, te llevaré a verlo.

—¿Qué planes tienes?

Los ojos de Ramesh se encendieron otra vez.

—Trabajaré en las reparaciones después del trabajo en la oficina y durante los fines de semana. Estudiaré por las noches. Debo partir a mediados de abril. El *Manual* dice que no debo tardar más para no perder el monzón.

—Eres un chiflado, amigo —dijo Jaran con una sonrisa divertida—. ¡Espero que el autor del *Manual* sepa algo de barcos!

—Veintiocho mil —dijo Ramesh con energía.

El otro interesado se encogió de hombros y negó con la cabeza. Cuando el subastador golpeó la mesa por tercera vez y gritó "¡vendido!", Jaran dio en la espalda de Ramesh una fuerte palmada:

—¡Felicidades, capitán Patel!

Media hora más tarde Ramesh enseñaba el *Manasa* a su amigo, con evidente orgullo.

Jaran no sabía nada de embarcaciones y era incapaz de apreciar las bondades ocultas de aquélla, pero sus ojos se fijaban en la pintura desconchada, las tablas agrietadas de cubierta, los montantes retorcidos, los cables sueltos. El mástil principal tenía una grieta de un metro de largo.

Mientras tanto, el feliz propietario hablaba sin cesar de mamparas, velas, obenques y escotas. Jaran sonrió con esfuerzo.

—Veo que has estudiado tu Biblia, Ramesh.

—Claro que sí. Ven, te enseñaré los camarotes.

Al bajar, uno de los escalones soltó un crujido amenazante.

El barniz del salón estaba descascarillado y reinaba un pútrido olor a moho. Pasaron al pequeño camarote de popa, con sus dos camastros y un lavabo; echaron un vistazo a la sombría sala de máquinas, inspeccionaron el castillo de proa con sus catres sustentados por caballetes y otro camarote pequeño.

En un rincón del salón había una estufa de gas con dos quemadores y a un lado una portezuela. Ramesh la abrió: era una nevera de acero. De ahí sacó dos botellas de cerveza, y guiñó un ojo a su amigo.

—Le pedí a Murjani que las pusiera a enfriar. Tenemos que celebrarlo. —Sacó un abridor de un cajón, dos vasos de una alacena y lo llevó todo a la mesa. Se sentaron frente a frente. Ramesh sirvió y alzaron los vasos.

—Brindo por el *Manasa* —dijo Jaran, solemne—, y por todos los que en él naveguen.

—Por el *Manasa* —dijo Ramesh, con una sonrisa de satisfacción.

Bebieron y luego, durante media hora, Jaran trató de hacer entrar en razón a su amigo. Fue en vano: nada podía atenuar la confianza de Ramesh en sí mismo y en su flamante adquisición.

Ramesh trató de explicar sus sentimientos al descubrir el *Manasa* y enterarse de que tenía posibilidades de comprarlo.

Se había sentado en el salón, en el mismo lugar que ocupaba ahora. El *Manasa* parecía hablarle, como un anciano respetable que hubiera viajado y acumulado experiencia y sabiduría; y Ramesh se sentía como un joven que quisiera conocer el mundo. Empleó toda su elocuencia para tratar de explicarle a Jaran Singh la relación que lo vinculaba con aquella nave. Había creído que sólo sucedía en los libros, pero ahora lo experimentaba en carne propia. Ahora que era suyo, el *Manasa* sería su hogar y su confidente. Una voz interior le decía que en él estaría a salvo, que jamás le traicionaría. Como el niño que aprende a cabalgar con un caballo manso; el caballo siente el peso vacilante y temeroso, y avanza despacio hasta que percibe que el niño gana confianza.

Era un sentir romántico hasta la extravagancia, y Jaran sonrió ante la metáfora. Miró a Ramesh y trató de imaginarle como marinero. No pudo. El hombre sentado frente a él era recatado y pulcro en el vestir. Llevaba el cabello, ya canoso en las sienes, siempre bien cortado. Sus zapatos brillaban como espejos. Era un hombre alto y esbelto, aunque no flaco. Tenía manos de oficinista, de dedos largos y sin callosidades y las uñas cuidadosamente recortadas.

Sólo en su rostro había rasgos de aventurero. La tez levemente morena, los pómulos altos, la mandíbula pronunciada y enérgica. Ojos pequeños y muy separados. Nariz recta y larga, labios gruesos. Un rostro afable, pero que poseía una fuerza que ahora afloraba a la superficie, pensó Jaran.

—¿La madera no está podrida? —preguntó.

Ramesh negó con la cabeza.

En un mes el *Manasa* estaría irreconocible, dijo. En el transcurso de ese mes, se familiarizaría con los misterios del motor Perkins, la hélice, el tablero de mando, los sextantes, el velamen y todo lo demás.

Jaran suspiró y vació su copa de un trago.

Cady accionó una palanca y la plataforma giratoria se detuvo entre crujidos. Sobrevino un silencio extraño. Entonces alzó la vista hacia la plataforma y le sonrió al operario.

—Arriba, Cam. Quiero sacarla antes del cambio de turno.

Cam iba hacia la escalera cuando se abrió la puerta de la caseta y la voz del jefe de equipo gritó:

—¡Cady! ¿Qué coño pasa?

—Voy a sacar la perforadora. Hace sesenta horas que está funcionando.

50

El jefe de equipo suspiró ruidosamente.

—Ven un momento —dijo, y volvió a la caseta. Cady lo siguió—. Cierra la puerta —dijo desde el interior.

Cady entró y cerró la puerta. Su cuerpo sudoroso se enfrió bruscamente con el aire acondicionado. El jefe se sentó detrás del escritorio metálico cubierto de papeles. Una hilera de libros de geología ocupaba un estante en la pared a sus espaldas.

—¿Cómo me llamo, Cady?

—Ben Calder.

—Perfecto. ¿Cuál es mi puesto?

—Jefe de equipo.

—Acertaste otra vez. ¿Esto qué significa?

—Que tú mandas.

—¡Perfecto! Diez puntos. —Calder miró al gigante canadiense con una mueca despectiva—. Ya que eres tan inteligente, deberías saber que yo doy la orden de sacar la perforadora.

—Joder, jefe, hace sesenta horas que está funcionando con una tracción de setenta mil. Hay que sacarla, según las normas.

Calder suspiró.

—¿Quieres seguir trabajando en esta empresa, Cady?

—Por supuesto.

—Entonces limítate a obedecer.

Cady respiró hondo.

—¿Qué hacemos?

Calder se repantigó en el asiento. Era un hombre regordete, de cara redonda y lampiña.

—Quiero llegar al fondo antes de fin de mes. —Esgrimió una de las hojas de producción de su escritorio—. Si seguimos con turnos de sesenta horas no llegaremos. Dale setenta y aumenta la tracción.

—¿Cuánto?

Calder se encogió de hombros.

—Cinco... diez mil. Mejor diez mil.

—Tú mandas —dijo Cady con rostro inexpresivo. Se fue hacia la puerta y oyó la voz de Calder que decía: "¡Así es, coño!"

Dos horas más tarde Cady estaba en la plataforma con Cam. Acababan de hacer una nueva conexión, y los auxiliares habían limpiado el barro. El sol se había puesto pero el engrendro mecánico estaba fuertemente iluminado por los proyectores de la torre. Calder se había ido a su tienda. A pesar del crujir constante de la maquinaria reinaba cierta paz en medio de la masa metálica.

Cady y Cam simpatizaban. Compartían tienda y les gustaba conversar. Aunque eran jóvenes, duros y de escasa educación, ambos eran inteligentes y perspicaces. A diferencia de sus compañeros no se gastaban el sueldo en bebida y prostitutas. Pasaban sus vacaciones en Chipre. Cam en la playa con su novia y Cady en una cabaña en los montes Troodos, disfrutando del verdor y la frescura después de tantos meses en el desierto.

Cam ahorraba para comprar una casa y casarse. Cady quería cogerse un par de meses de permiso para viajar al sur y conocer África, tal vez subir al monte Kilimanjaro o cazar.

Había leído mucho sobre África últimamente. Intercambiaban libros con Cam y les gustaba discutir los méritos de cada autor. Cam era fanático de Hemingway, pero Cady prefería a Rourke, aunque no fuera tan espectacular. Pensaba que le gustaría conocerlo.

—La personalidad del tipo no importa —decía Cam en aquel momento—. Lo importante es lo que escribe.

Cady iba a responder cuando de repente cambió el ruido del motor de tracción y se oyó un crujido metálico. Ambos quedaron paralizados. Pocos segundos más tarde la perforadora giraba en falso, por encima de la roca, y los integrantes del equipo rodeaban la plataforma, sacudiendo la cabeza. Era el desastre más temido por los operarios. Se había roto uno de los cojinetes de la perforadora. Tendrían que sacar el tubo y buscar el cojinete. El trabajo se retrasaría varios días, tal vez más de una semana.

El equipo de relevo subió a la plataforma, encabezado por Calder.

—¿Qué coño pasa?

Cady se giró.

—Cojinete roto.

El rostro de Calder palideció. Cady se inclinó hacia él y, remarcando cada palabra, añadió:

—Te dije que había que parar esa perforadora de mierda.

El resto del equipo observaba a los dos hombres con profundo interés. Calder se serenó y miró a los hombres silenciosos que les rodeaban.

—¿Cuánta tracción le has puesto? —preguntó.

—Ochenta mil.

—¡Ochenta mil! —Calder echó una nueva mirada a su alrededor, esta vez de asombro—. Setenta mil es el máximo.

—Tú me has dicho que le diera más.

—Mierda. —Cady lo miró estupefacto. Calder preguntó en voz muy alta—: ¿Alguien me ha oído decirle a este hijo de puta que le pusiera más tracción?

—Tú me has dicho en la caseta que le pusiera diez mil más —dijo Cady entre dientes.

—Mierda.

Cady dio un paso hacia él y le preguntó con voz ronca:

—¿Me acusas de mentir?

—¡Sí, vaya mierda!

Un violento directo a la mandíbula arrojó a Calder al suelo. Los hombres se abrieron y el cuerpo inconsciente del jefe de equipo golpeó con estrépito la plataforma metálica, que resonó con el impacto.

Después de un instante de silencio uno de los operarios movió el cuerpo de Calder con la puntera metálica de la bota y se inclinó para mirarlo de cerca.

—Lo has noqueado, Cady, ¡y tiene la mandíbula rota!

Hablaban todos a la vez y algunos reían. Calder no gozaba de estima. Algunos miraron a Cady con una mezcla de respeto y pena. Éste se volvió hacia Cam con una sonrisa triste:

—Parece que me iré a la montaña antes de lo que pensaba.

Cam asintió, dolorido:

—Te voy a añorar, pedazo de bruto.

5

El monte Kilimanjaro tiene más de seis mil metros de altura y Kirsty Haywood lo miró desde unos cinco mil metros más arriba, desde la ventanilla del avión en que viajaba. Sus sentidos adormecidos se despertaron al contemplar la enorme masa nevada de la montaña. Había salido de Nueva York veinticuatro horas antes, en un vuelo nocturno a Londres, y tras una espera de dos horas había hecho la conexión a Dar es Salaam vía Roma, El Cairo y Nairobi.

Sólo había volado una vez antes, a Florida. Ahora comprendía la enorme distancia que le había tocado recorrer. Aquellas largas horas en el aire le parecían días. La impaciencia y la escasez de fondos la habían llevado a evitar cualquier escala innecesaria. De Nueva York a Londres ocupó un asiento junto a una anciana señora inglesa que había ido a visitar a su hija, casada con un piloto de la Fuerza Aérea de los Estados Unidos y residente en Tennessee. A la anciana le había gustado el viaje, no así la manera cómo su hija y su yerno educaban a sus tres hijos. Habló largamente de la disciplina y la buena alimentación, y Kirsty acabó entendiendo que aquellos chicos estarían demasiado gordos y se mostrarían poco respetuosos con las personas mayores.

En el aeropuerto de Heathrow se había esforzado por mantenerse despierta. Amanecía, estaba nevando y las otras personas de la sala para pasajeros en tránsito le parecían tan pálidas e insípidas como el café con leche que les habían servido.

En el tramo Londres-Roma viajó apretujada entre un italiano gordo y un árabe flaco. El italiano trataba de rozarle la pierna con su rodilla mientras conversaba.

En la sala de pasajeros de Roma el árabe abrió la boca por primera vez para invitarla, en excelente inglés, a tomar un café. Mientras sorbía el espumoso capuchino, le contó que era funcionario del Ministerio de Cultura egipcio, que volvía de una inútil misión a Londres donde había tratado de convencer al Museo Británico para que devolviera los tesoros robados de las tumbas de los faraones bajo la dominación británica. Durante las dos horas de vuelo a El Cairo le habló de la historia y civilización de su país. Kirsty quedó asombrada al conocer el aeropuerto de El Cairo, sucio y maloliente.

De ahí hacia el sur el avión quedó semivacío y pudo dormir durante un par de horas. Había percibido el cambio por primera vez durante la breve escala en Nairobi. En el aeropuerto mismo se sentía el vigoroso aroma del aire fresco, las flores, la tierra. Más que en otro continente, creyó hallarse en otro planeta.

Al partir de Nairobi, sintió la emoción de su inminente llegada a destino. A los pocos minutos de despegar el piloto anunció que estaban sobrevolando Tanzania y que por las ventanillas de la derecha se veía el Kilimanjaro.

Al contemplar la montaña le asaltó la sensación de que aquel viaje no acabaría con un retorno a su antigua vida. Al subir al avión en Nueva York había hecho un viraje definitivo en su vida.

Había tardado tres semanas en arreglar todos sus asuntos, entre ellos Larry.

Una noche, después de la cena, Kirsty había comprendido una vez más que aquella era una relación de conveniencia. A Larry le daba lo mismo ver la televisión en su apartamento que en el de ella: la única diferencia era que ella cocinaba bien. Entonces le dijo todo lo que pensaba, y discutieron agriamente. No le sorprendió que Larry no fuera a despedirla al aeropuerto.

Nadie lo hizo. Sus pocos amigos habían adoptado idéntica actitud de cautela y preocupación. Una reacción similar a la de los pasajeros de un autobús o un tren que descubren que hay un loco en el vagón: todos se apartan nerviosos o miran hacia otro lado.

La actitud de Irving había sido lisa y llanamente hostil. Aquello era producto de su mentalidad pragmática y, especialmente, de la pérdida de una contable experta y honrada.

Primero trató de convencerla de que debía aceptar la muerte de Garret. Al ver que sus argumentos se estrellaban contra un muro impenetrable se negó a prestarle ayuda financiera para semejante chifladura. Por último habló de ella con un tono despectivo en la voz. Le recordó que era una mujer ingenua, sin la menor experiencia mundana. Nunca había viajado más allá de Florida. Llevaba una vida rutinaria, sin sobresaltos. Al levantarse por la mañana se maquillaba, caminaba un par de manzanas hasta la oficina, y se pasaba el día entre gente conocida. Su amante no era Rock Hudson, pero era un buen hombre y formaban una pareja estable. Tal vez se casaría con ella. Por las noches mirarían la televisión, un par de veces por semana saldrían a cenar y al cine, de vez en cuando al teatro. Sabía quién era y dónde estaba ubicada en Nueva York pero no tenía la menor idea de lo que le aguardaba en el mundo exterior. Irving sí lo sabía, había viajado mucho. El mundo estaba lleno de buitres. Con sólo verla se darían cuenta de que era una víctima ideal para la estafa. Una loca en busca de su hijo muerto. La desplumarían. ¡Y África, qué coño! Se trataba de una mujer sola en el mundo. ¿Acaso comprendía los peligros que la esperaban? ¿Por qué no se quedaba donde le correspondía?

Ninguno de estos argumentos la conmovió. Según Kirsty, Nueva York también era una jungla, aunque sin árboles.

Irving se encogió de hombros y abandonó la partida.

Luego vino la venta del apartamento y los muebles y los regateos degradantes por sus escasas joyas. Pagadas las hipotecas, el billete de ida y vuelta a Dar es Salaam y una maleta, le quedaban exactamente dos mil seiscientos tres dólares con treinta y cinco centavos.

Le siguió una semana de idas y venidas frenéticas, trámites y vacunas contra la viruela, la fiebre amarilla y el cólera. Esta última le produjo fiebre, pero en ningún momento flaqueó.

Habló dos veces por teléfono con Howard Godfrey. Éste le informó que el *Jaloud* había zarpado hacia Mombasa pero que regresaría dentro de dos semanas, coincidiendo con su llegada. Prometió ayudarla pero al mismo tiempo insistió que todo era inútil. Ella lo escuchó con paciencia y finalmente le pidió que le consiguiera una habitación de hotel barata.

La ondulada sabana era una tierra dura, color ocre, salpicada por matorrales y arbustos espinosos. Alguna que otra cinta verde indicaba el lecho de un río seco. Parecía un territorio enorme, yermo, sin señales de vida, pero entonces apareció una especie de camino de tierra y la luz del sol se reflejó en un conglomerado de techos de cinc. Antes de salir, Kirsty había pasado una tarde en una biblioteca de Nueva York, leyendo libros sobre Tanzania. Era un país muy pobre que acababa de liberarse de la dominación colonial británica. Hacía unos meses se había fusionado con la isla de Zanzíbar, donde una revolución de la mayoría africana había masacrado a varios miles de árabes que habían controlado el comercio y la riqueza de la isla durante varios siglos. El presidente de Tanzania, ex maestro de escuela, era un reformador progresista que trataba de adaptar a su pobre y atrasado país al siglo XX. Mientras tanto, a pesar de formar una federación con el territorio continental, Zanzíbar seguía inclinándose hacia el socialismo bajo la dominación de un consejo revolucionario.

Ahora comprendía mejor el agudo contraste entre su vida de semanas antes y el mundo que empezaba a conocer. El avión comenzó el descenso. Aparecieron campos sembrados, aldeas y, más a la izquierda, el azul del mar. El piloto anunció que la mancha verde hacia la izquierda era la isla de Zanzíbar. El avión viró, y apareció la ciudad, con sus techos planos, largos canales y barcos atracados en los muelles.

Cuando salió de la Aduana se sentía confundida y colérica, y estaba bañada en sudor. Jamás había experimentado semejante calor y humedad, ni tratado con funcionarios tan altaneros y estúpidos. A pesar de que tenía visado, el agente de inmigración la sometió a un prolongado interrogatorio. ¿Cuánto duraría su estancia? No lo sabía. ¿A qué venía? Un sexto sentido le indicó que debía mentir: estaba de vacaciones, quería conocer el país. ¿Qué parte del país? Y así sucesivamente, hasta que Kirsty mencionó al cónsul norteamericano.

—¿El señor Godfrey?

—Así es.

Un gran sello en el pasaporte y pasó a la Aduana, donde un funcionario la retuvo otros veinte minutos mientras revolvía la maleta, se demoraba con la ropa interior y le hacía las mismas preguntas que el agente de inmigración.

Bastó la mención al cónsul norteamericano para que el funcionario lo metiera todo en la maleta, la cerrara y la marcara con tiza amarilla. Un nativo se le adelantó rápidamente, le arrebató de la mano el equipaje y se encaminó hacia la salida. Kirsty corrió detrás de él, tratando de no perder de vista la cabeza rizada entre todas las demás.

Alguien la cogió de la manga, dijo: "Taxi, *memsahib*," otro le puso una tarjeta en la mano y dijo: "Kibano Hotel, *memsahib*, muy limpio".

Presa del pánico los alejó y miró en todas direcciones en busca del hombre que le había quitado la maleta. Entonces oyó una voz que decía: "Señora Haywood".

Al volverse vio a una mujer rubia, regordeta y sonriente.

—Hola. Soy Harriet Godfrey, la esposa de Howard. No se preocupe por su maleta. La tiene Juma.

—¿Juma? —preguntó, como atontada.

—Nuestro chofer. Vamos, el coche está fuera.

Cogió a Kirsty del brazo y atravesaron la multitud.

—Howard ha tenido que asistir a una recepción del Alto Comisionado de la India, por eso he venido yo. Gracias a esto me he salvado de los aburridos discursos de siempre.

Salieron a la luz del atardecer. El africano sonriente que le había arrebatado la maleta abrió la puerta trasera de un Chevrolet negro estacionado junto a la acera. Harriet la ayudó a subir, y Kirsty sintió con deleite la refrigeración.

El vehículo enfiló por una calle muy ancha, atestada de bicicletas, camiones desvencijados cargados de gente y algún que otro coche.

—Bienvenida al África, querida —dijo Harriet—. ¿Los funcionarios de inmigración la han tratado mal?

Kirsty se estremeció y asintió.

—Así ocurre siempre. Es su manera de manifestar su independencia. Pero no se preocupe, éste es un pueblo simpático, alegre y servicial. ¿Está cansada?

—Mucho —dijo Kirsty—. Y un poco confundida. Es la primera vez que salgo de Estados Unidos y...

—¡Vaya! —rió Harriet. Señaló las chabolas con techo de cinc y los puestos de madera de los vendedores callejeros—. No es Nueva York —dijo, imitando el acento de Brooklyn—, pero se aprende a querer las cosas hermosas que hay aquí. Tal vez llegue a conocerlas. En cuanto al hotel...

Harriet Godfrey tenía más o menos la edad de Kirsty. Era una mujer enérgica y alegre, sonreía constantemente y demostraba la confianza en sí misma propia de una persona que ha viajado por todo el mundo. Dijo que no había muchos hoteles en Dar es Salaam. Algunos eran caros pero buenos. Otros, caros y malos y la mayoría baratos y malos. En un tono amistoso pero que no admitía réplica invitó a Kirsty a alojarse en su casa. Para ellos no supondría ninguna molestia. Más adelante, si la estancia de Kirsty se prolongaba, le ayudaría a conseguir alojamiento.

Kirsty trató de protestar, pero la presión de lo desconocido, unida a su cansancio físico y mental, la hizo desistir rápidamente.

Harriet la obligó a permanecer despierta otras tres horas. Dijo que el organismo reaccionaba mal ante un viaje tan largo. Para contrarrestar ese problema convenía mantenerse despierto el mayor tiempo posible, luego relajarse y dormir muchas horas. Así el organismo se reponía más fácilmente.

La casa de los Godfrey estaba en la zona de Oyster Bay, varios kilómetros al norte de la ciudad. Había sido el barrio residencial de los funcionarios coloniales alemanes y luego británicos. Era una casa de gruesas paredes de piedra rodeada de una amplia galería y plátanos, palmeras y enredaderas. Más allá de los árboles se veía el mar y un grupo de islotes verdes en el horizonte. El interior era sumamente fresco, y Harriet le explicó que las paredes tenían un grosor de más de un metro, con una cámara aislante en el medio. Los alemanes que la construyeron en 1910 no conocían el aire acondicionado, en cambio sabían la clase de construcción que se necesitaba para estar cómodo en el trópico. Los británicos que los desplazaron en 1918 construyeron casas de estilo inglés, con paredes delgadas, y sufrieron el calor durante medio siglo.

Kirsty deshizo el equipaje, se dio una ducha fría y se reunió con Harriet en la galería. Un criado con túnica blanca les sirvió martinis. Después del primer sorbo Kirsty inició la conversación.

—¿Sabe a qué he venido?

—Por supuesto. Howard me lo ha contado.

Su rostro alegre se tornó serio.

—¿Cree que estoy loca?

—Eso creí al principio.

—¿Y ahora?

Dejó su copa sobre la mesa, extendió la mano y cogió la de Kirsty.

—Ahora no —dijo con firmeza—. Pero todo el mundo se muestra escéptico... y no hay más remedio que aceptarlo.

—¿Usted no?

—No. Hemos hablado de esto con Howard. Él... es hombre... ¿qué diablos entiende un hombre de estas cosas?

Por un momento Kirsty pensó que Harriet pronunciaba las frases protocolarias adecuadas a la situación, pero al alzar los ojos vio sinceridad en su mirada.

—Por favor, dígame por qué me cree.

Harriet alzó su copa, sorbió un poco pensativamente, cogió la coctelera y volvió a llenarlas. Habló en tono sereno, íntimo, y Kirsty se relajó. Por encima del canto de los grillos y otros insectos, escuchó sus palabras y se sintió reconfortada y fortalecida.

Harriet lo había meditado mucho. Habló de la asombrosa comunicación telepática que existe entre hermanos gemelos; de cómo una persona sufre los dolores del parto de otra, aunque las separen miles de kilómetros; de cómo una madre es capaz de mostrar una fuerza sobrehumana para ayudar a su hijo; del fenómeno, científicamente comprobado, de la percepción extrasensorial, que en algunos individuos es más fuerte que en otros. No quería decir con esto que Garret estuviera vivo, ni que lo encontraría, pero sí que comprendía la actitud de Kirsty. Tenía un hijo de doce años, llamado Lester, que en aquel momento estaba de visita en casa de un amigo. Howard pasaría a buscarlo. Le contó a Kirsty que, al enterarse de que ella se negaba a creer que su hijo estaba muerto, había tratado de ponerse en su lugar. Rogaba para que tuviera la suficiente abnegación y fortaleza de espíritu para dejarlo todo y salir en su busca como había hecho Kirsty.

Kirsty sintió que recuperaba la confianza.

Esta confianza sufrió una brusca caída cuando llegaron Howard y Lester. Hechas las presentaciones, él la puso al día mientras cenaban. Era un hombre moreno y delgado, no tan alto como su esposa, calvo y de mirada penetrante e inteligente a través de sus gruesas gafas. Le contó las novedades en tono práctico y enérgico. El *Jaloud* había partido aquella misma mañana hacia las Seychelles. Él había solicitado extraoficialmente a las autoridades portuarias que retrasaran la partida con algún tipo de pretexto burocrático, pero el capitán Lascelles tenía buenos contactos y lo más probable era que hubiera sobornado a los funcionarios. Howard había averiguado en el club náutico que

Lascelles había conseguido un acuerdo para llevar a un grupo de ornitólogos a las islas Seychelles a estudiar las colonias de aves. Tardaría un mes en volver.

Kirsty preguntó cómo podría llegar a las Seychelles y Howard resopló. Dijo que allí no había aeropuerto, aunque pensaban construirlo. La única manera de llegar era por mar, desde Mombasa, en Kenia. Había un barco hindú que hacía una travesía mensual a Bombay con escala en las Seychelles. Aquella mañana había verificado el horario: el barco salía dentro de diez días y la travesía duraba cuatro.

Kirsty se sintió descorazonada: había imaginado que su encuentro con Lascelles sería inmediato. Ahora tendría que esperar por lo menos tres semanas. Harriet vio la desilusión dibujada en su rostro.

—Usted sabía que la búsqueda sería muy larga. No se desanime.

—No es eso —replicó Kirsty—. Me disgusta que el encuentro no se haya producido por tan poco tiempo. Cogeré ese barco y espero que esté allí cuando llegue.

—Puedo ayudarla —dijo Howard—. Tengo un amigo que trabajaba en la estación americana de seguimiento de satélites en Zanzíbar. Debido a la revolución, están construyendo una nueva en las Seychelles y él está allí. Lo llamaré para que me mantenga al corriente de los movimientos del *Jaloud*. Usted no zarpará de Mombasa sin estar segura de que él esté allí.

—Hay un problema —dijo Harriet—. Si Lascelles zarpa de las Seychelles, ¿a dónde irá?

Howard se encogió de hombros. Le explicó que desde hacía diez años Lascelles recorría la costa del África Oriental, Madagascar, islas Mauricio y Seychelles, además de alguno que otro viaje a la India o a Sri Lanka. Era contrabandista en pequeña escala, incluso de armas, y los trabajos que conseguía los perdía enseguida debido a sus frecuentes borracheras. Se le consideraba un buen marino, incluso cuando estaba ebrio. El problema eran las comunicaciones. ¿Cómo encontrarlo si zarpaba de las Seychelles mientras ella viajaba hacia allí? El tráfico marítimo en la zona era escaso. ¿Tenía dinero para contratar un barco, si es que lo conseguía?

Kirsty le dijo cuánto tenía y él respondió con una mueca. Afortunadamente el pasaje en el barco hindú era barato, pero aquella cantidad de dinero no era suficiente para alquilar un barco adecuado para una travesía marítima.

Kirsty se encogió de hombros: si se le planteaba ese problema, ya vería cómo resolverlo.

Howard dijo que no quería desalentarla, pero que debía afrontar la realidad. Si Garret estaba vivo, cabía la posibilidad de que hubiera sido secuestrado por Lascelles y su tripulación. ¿Dónde lo tendrían, y para qué? Lascelles había informado del accidente doce días después de zarpar de las Seychelles. En aquel lapso de tiempo había recorrido por lo menos mil quinientos kilómetros hasta Dar es Salaam. Aquella travesía duraba normalmente entre seis y diez días, según las condiciones climáticas. Por consiguiente, podía haber hecho un rodeo de hasta mil quinientos kilómetros más, cubriendo una zona enorme, entre Somalia y Mozambique, pasando por Madagascar y millares de islas. Si encontraba a Lascelles, tendría que convencer a él o a su tripulación para que hablaran, pero si con ello se declaraban cómplices de un crimen...

Kirsty se encogió nuevamente de hombros: lo primero era encontrarlo.

Howard quiso hablar pero Harriet lo interrumpió:

—Basta por hoy, Howard. Está agotada. Tenemos diez días hasta que zarpe el barco.

Howard asintió.

—La admiro por su fortaleza, Kirsty, pero sería injusto que no le diera mi opinión. Creo que todo esto es una quimera. En mi opinión, su hijo está muerto. Todas las pruebas lo avalan. No puedo ignorarlo, Kirsty. He hablado con Lascelles: es un tipo duro, un desaprensivo. Sepa con quién se enfrenta. La ayudaré en todo lo que pueda, oficial o extraoficialmente, pero cuando zarpe de aquí en busca de ese barco dependerá exclusivamente de sus propias fuerzas. Créame si le digo que hay toda clase de facinerosos en esta parte del mundo.

Los ojos de Kirsty estaban semicerrados de cansancio.

—No tengo palabras para agradecerles las atenciones y las muestras de aliento. —Miró a Lester, al otro lado de la mesa. Era pequeño como su padre, con cara redonda y ojos serios—. Tal vez esté loca, tal vez mi hijo esté muerto, tal vez Dios no exista y tal vez ese Lascelles sea el diablo en persona... pero hablaré con él.

Sus ojos brillaron brevemente, a pesar del cansancio. Lester sonrió.

—En swahili la llamarían *memsahib Kali*.

Howard rió.

—Quiere decir "la dama feroz" —explicó—. Es una palabra que se aplica a ciertos felinos, como los leopardos. Ahora vaya a dormir. Mañana a primera hora le sacaremos un pasaje hacia las Seychelles.

6

Lani Sutowo ordenaba las latas de guisantes en una estantería cuando oyó una tímida voz a sus espaldas. Al girarse vio a un hombre vestido con pantalones cortos de color pardo, chaleco azul y sandalias franciscanas. Era de mediana estatura, pelo renegrido muy corto y sienes plateadas. Se acercó al mostrador.

—¿En qué puedo servirle?

El hombre se adelantó y extendió la mano.

—Me llamo Ramesh Patel y vengo de Bombay.

Desconcertada por tanta amabilidad, Lani murmuró.

—Lani Sutowo, de Sumatra.

Se estrecharon las manos y se miraron en silencio, levemente turbados. El hombre tenía en la mano una hoja de papel doblada.

—¿Qué necesita?

—Algunas provisiones. —El hombre desplegó la hoja y sonrió—. Me han dicho que ustedes tienen de todo y no son caros.

Le entregó el papel y ella leyó la lista, escrita con cuidada letra.

—Tenemos todo lo que usted necesita, pero tardaré un poco en prepararlo.

—No tengo prisa.

Empezó a bajar distintos alimentos enlatados de las estanterías.

—No lo he visto antes por aquí —dijo Lani.

—No, estoy de paso.

—Pero... hoy no ha llegado ningún barco.

—Viajo en mi propio barco.

Lani lo miró sorprendida. No tenía aspecto de marino. Empezó a apilar las latas sobre el mostrador.

—¿Hacia dónde va?

—Hacia las Seychelles, luego África Oriental, y no pararé hasta el Mediterráneo —dijo él tímidamente, como si estuviera inseguro.

—¿Es muy grande su barco?

—En realidad es muy pequeño, diez metros, más o menos.

—¿Tiene muchos tripulantes? —preguntó, volviéndose hacia las estanterías.

—Soy un navegante solitario.

Nuevamente se volvió a mirarlo.

—¡Solitario! ¡Pero planea ir muy lejos!

Ramesh sonrió, se encogió de hombros y pasó detrás del mostrador para ayudarla a bajar los paquetes.

Tardó unos quince minutos en reunir todas las provisiones. Mientras tanto siguieron conversando, con confianza creciente. Ella se enteró de que era su primer viaje y de que al principio se había asustado al encontrarse en alta mar, hasta el punto que si el viento no lo hubiera impulsado con tanta fuerza, hubiese regresado. También se le rompió el estay de proa y tardó una hora en repararlo, y tuvo problemas para recoger las velas. Le contó de sus noches de insomnio hasta que aprendió a usar el piloto automático, y del temor a haber equivocado el rumbo y encallar en los temibles arrecifes al oeste del archipiélago. Luego el tiempo mejoró y el mar se calmó, y tuvo cuatro días de navegación tranquila. Finalmente, experimentó una inenarrable sensación de alivio al avistar el atolón de Male, lo que confirmaba que había calculado bien el rumbo.

Acabó de colocar las provisiones en una gran caja de cartón sobre el mostrador.

—¿Y cuándo zarpa?

—Mañana al amanecer —dijo con una sonrisa tímida—. El pronóstico es bueno, viento del nordeste. Además... me temo que, si me retraso, acabaré por acobardarme.

Ella sonrió, impresionada por su franqueza. Cogió su ábaco y rápidamente hizo la cuenta. Él pagó, le estrechó la mano otra vez, se despidió, cogió la caja y se fue hacia la puerta.

Al oír que ella le deseaba suerte se dio la vuelta y sonrió nuevamente.

Aquella tarde, tras cerrar el almacén, Lani bajó al puerto. Había dos goletas del servicio de transporte entre las islas del archipiélago amarradas al muelle, y más allá un velero de casco blanco con el nombre *Manasa* pintado en letras azules en la popa. La cubierta estaba desierta. Lani se sentó y contempló la nave. No entendía mucho de embarcaciones, pero era buena observadora. Percibió que la pintura y el barniz fresco cubrían un maderamen gastado. Dedujo que debía de ser un viejo barco, pero flotaba con gracia en el agua cristalina.

Al oír pasos se giró: Ramesh venía por el malecón cargado con dos grandes latas. Sonrió al verla y ella se ofreció para ayudarle a subirlas a cubierta.

—Aceite —dijo, amarrando las latas a los montantes—. ¿Se acabó el trabajo por hoy?

—He venido a conocer su barco. ¿Es muy viejo?

—Sí, más que yo. —Se enderezó—. ¿Le gustaría conocerlo por dentro?

—Me encantaría.

Ramesh le enseñó el interior sin disimular su orgullo, y ella elogió la limpieza. Cada cosa en su lugar, salvo un grueso libro de tapas negras sobre la mesa del salón. Lani le hizo algunas preguntas, que revelaban una mente curiosa y despierta. Después del breve recorrido se sentaron y mientras él destapaba un par de botellas de cerveza, ella leyó el título del libro negro: *Manual del navegante*.

—¿Cuánto tardará en llegar a las Seychelles? —preguntó.

Puso dos vasos de cerveza fría sobre la mesa antes de contestar.

—Con viento a favor... digamos que dos semanas.

Veinte días más tarde, a las nueve de la mañana, Jack Nelson vio un barco de vela blanca desde la terraza de su casa, cerca de la cumbre del monte Mahe. Hacía dos días que estaba allí. Estaba desayunando en la terraza, escuchando el informativo internacional de la BBC con su receptor de radio y contemplando el amplio panorama del mar con sus prismáticos. Observó la mancha blanca durante un par de minutos y se comió la última tostada. Era un hombre gordo, de pelo corto y canoso y una gran papada. Estaba desnudo de cintura para arriba. Caminó pesadamente hacia el salón. Incluso a cuatrocientos metros de altura no corría el menor soplo de aire.

Cogió el teléfono y llamó a su amigo Dave Thomas, secretario del Club Náutico de las Seychelles.

—Hola, idiota. ¿Cómo estás de resaca esta mañana?... Bueno, te lo dije..., oye, todavía está ahí. Un poco más hacia el este... claro, seguro que la corriente lo ha desplazado un par de millas... no, ni un soplo, ni siquiera aquí arriba. Oye, la *Lady Esme* cruza hoy a Praslin, tal vez podría desviarse y echar un vistazo. Bueno, díselo tú, ya que eres el secretario... sí, unas quince millas... de acuerdo, nos vemos en la comida... hasta luego.

Colgó y se dirigió hacia la cocina. A mitad de camino se detuvo y su rostro se crispó de dolor. Un minuto después se relajó y soltó un fuerte suspiro de alivio.

A las seis de la tarde la lancha oficial *Lady Esme* entró en el puerto Victoria remolcando el barco. Jack

Nelson y Dave Thomas bajaron del Club Náutico al muelle cuando lo estaban amarrando. Dave era bajo y gordo, y lucía un enorme bigote a la mexicana. Al ver en la cubierta a la esbelta jovencita oriental junto al hombre de mediana edad y expresión avergonzada, silbó entre dientes.

—¿De dónde habrá sacado esa hermosa muñequita?

—Barco viejo y tripulante joven —sonrió Jack con picardía—. ¿Qué más puede pedir un navegante solitario?

—Un motor en buen estado —replicó Dave.

Rápidamente se enteraron de todo. A la muchacha se la llevó la policía y un funcionario de la Aduana abordó el barco para inspeccionarlo. Mientras tanto, Philip Mondon, el jefe del puerto, se acercó y los puso al tanto. El velero estaba registrado en Bombay y su dueño era un *babu* anglohindú retirado que pensaba dar la vuelta al mundo, aunque sabía poco de navegación. La muchacha se había embarcado en las Maldivas; al menos eso decía el *babu* y ella lo ratificaba. No tenía pasaporte, salvo un carnet de identidad de Indonesia. La arrestarían hasta resolver si debían repatriarla a su país. El motor del barco tenía más de cuarenta años de uso y se había fundido a setenta y cinco kilómetros de la costa. Hacía cinco días que andaban a la deriva y les quedaban solamente unos cuatro litros de agua.

—Imbécil —gruñó Jack—. Pero es de esperar. Estos anglohindúes son unos ineptos.

—Cuida la lengua, Jack —dijo Dave, avergonzado. Todos los habitantes de las Seychelles, incluido Philip Mondon, eran de sangre mestiza—. No estamos en África.

—Sabes a qué me refiero —dijo Jack, inmutable, y se volvió hacia Philip Mondon—. No me refería a vosotros, Phil. Ven al Club, tomaremos un trago.

Mondon negó con la cabeza y guiñó el ojo.

—Tengo una cita dentro de una hora Jack. Y está mejor que vosotros.

Cuando se marcharon al Club Náutico, sacudió la cabeza con resignación pero sin ira. Después de la independencia de las colonias africanas, muchos funcionarios coloniales se habían jubilado y establecido en las Seychelles. Eran buena gente, pero no lograban superar sus prejuicios y actitudes colonialistas.

7

El *State of Haryana* no era una bella embarcación... ni siquiera estaba limpia, ni por dentro ni por fuera. Navegaba ida y vuelta de Bombay a Mombasa, pasando por las Seychelles, transportando pasajeros y carga. Los pasajeros de primera clase viajaban en camarotes individuales, relativamente cómodos, con vistas al mar a través de los ojos de buey. Los de segunda ocupaban unos dormitorios donde reinaba un olor asqueroso. Los de cubierta estaban en la popa, al aire libre.

Kirsty contempló su camarote con recelo. Había una mesita y una silla bajo el ojo de buey. Una alacena a la izquierda y, a la derecha, dos literas. Vio una cucaracha sobre la mesa. La señaló y el camarero hindú la aplastó presto con la mano. Dos semanas antes hubiera sentido náuseas, pero ya había aprendido a adaptarse a ciertas cosas.

Siguiendo las indicaciones que le habían dado, le dio diez chelines de propina, dijo que se iría a cubierta y que en una hora quería el camarote perfectamente limpio, hasta el fin de la travesía. El camarero sonrió e inclinó la cabeza, y ella se fue a cubierta, donde el calor no era tan intenso. La partida del barco se había retrasado dos días, lo cual aparentemente era habitual. Se apoyó en la baranda a contemplar los últimos pasajeros que subían por la escalerilla. La mayoría eran hindúes pobres que llevaban maletas de cartón y bultos envueltos en telas de colores chillones. Se empujaban unos a otros y peleaban por los mejores puestos en la cubierta de popa, marcando su territorio con los bultos. Al instalarse abrían los canastos y repartían la comida. No parecían tristes, y Kirsty se maravilló del estoicismo que les permitía soportar un viaje de cuatro mil quinientos kilómetros en aquellas condiciones. Algo le llamó la atención en la escalerilla. Vio un joven muy alto y rubio, que llevaba un petate marinero de lona sobre su hombro. Vestía vaqueros gastados, camiseta blanca y camperas muy lustradas, que no le sentaban nada mal. Lo había visto antes, en la aduana, y sus miradas se habían cruzado por un instante. Sus ojos azules brillaban en su rostro curtido: un rostro que trasmitía a la vez fuerza y sensibilidad.

El joven alzó la vista y otra vez se cruzaron sus miradas. Le dedicó un breve gesto con la cabeza, cruzó la escalerilla y desapareció. Kirsty se alejó de la baranda para pasear por la cubierta que rodeaba el salón, los camarotes y el comedor. Era para uso exclusivo de los pasajeros de primera y por el momento había poca gente. Vio una pareja de hindues de mediana edad; el hombre vestía traje occidental oscuro, ella un sari naranja. Un anciano, europeo, con atuendo de safari, la saludó amablemente. Comprendió que durante los próximos días pasaría mucho tiempo en aquella cubierta. Era la primera vez que navegaba, y la perspectiva acrecentaba su interés mezclado de cierto recelo. No sabía si sería capaz de soportar el mareo y la comida.

Pero sí estaba segura que en las últimas dos semanas había cambiado. De alguna manera seguía siendo la mujer inexperta, ingenua y tímida que añoraba la rutina agradable de Nueva York. Sin embargo su nueva vida no la asustaba. Había conocido la miseria y la mugre, había viajado con la garganta llena de polvo y se había bañado en agua donde flotaban insectos muertos. Entendía que, a pesar de su escasa experiencia, poseía capacidad de adaptación. Gracias a África y a sus nuevos amigos, los Godfrey.

Los diez días que había pasado con ellos le habían servido para comprender África; ambos conocían y amaban el continente. Pasaron un fin de semana en la nueva reserva forestal de Mikumo, ciento cincuenta kilómetros tierra adentro. De noche durmieron en tiendas y de día recorrieron la reserva en un todoterreno. Vieron leones y elefantes, impalas y hienas.

La segunda noche cayó una lluvia torrencial y varios leones fueron a refugiarse bajo los grandes árboles que rodeaban el campamento. El guarda, un inglés, los ahuyentó con balas de fogueo. Al día siguiente el todoterreno se averió y tuvieron que volver al campamento, siete kilómetros a pie. Vieron manadas de búfalos y jirafas, y un rinoceronte solitario que les miró con suspicacia. El único que llevaba arma era el guarda. Después, en el campamento, reconoció que el rinoceronte lo había asustado, ya que es uno de los pocos animales africanos que atacan sin provocación.

Por la noche, mientras yacía en su camastro Kirsty escuchaba atenta los ruidos nocturnos de África: zumbidos y silbidos de insectos, chillidos de aves nocturnas, el rugido intermitente y lejano de un león, la risa cínica y estremecedora de la hiena. Se asustó cuando los leones entraron en el campamento, pero el guarda, los Godfrey y los sirvientes africanos lo tomaron con tanta calma que sus temores se desvanecieron rápidamente. El mejor momento era el despertar. El café caliente del amanecer, y el sol que salía sobre los árboles y arbustos. Las enormes manadas de animales: el impala, con sus saltos tan elegantes; la simpática cebra; la jirafa, con su peculiar trote, su largo cuello y su aire distante; un kudú solitario, bello y temeroso, de majestuosa cornamenta. El kudú despertó el interés del guarda, nunca había visto un ejemplar en una región tan austral. Trató de acercarse mientras Howard lo fotografiaba, pero el kudú alzó la trompa, olfateó el aire y desapareció en el bosque.

También las noches tenían su encanto. Las bebidas frescas en la tienda que les servía de comedor, bajo los faroles siseantes. La cena, con pollo de guinea o costillas de gacela, de picante sabor. Y la conversación: cuentos y leyendas africanas, sobre animales y pueblos.

Poco a poco fue olvidando Nueva York, a Larry y a Irving Goldman. Pero Garret estaba siempre presente, y a pesar de las nuevas y fascinantes vivencias no podía atenuar la impaciencia que le roía el interior.

Pasó cuatro días más en Dar es Salaam, conoció a las amistades de los Godfrey y nadó durante horas en la bahía de Oyster.

Una noche la invitaron a una fiesta y tuvo un golpe de suerte: conoció a un empresario hindú que viajaba constantemente por la región. Uno de esos días volaría a Mombasa en su avión privado, y tendría mucho gusto en llevarla. Aquello le ahorró el lento viaje en autobús a Nairobi y el tren hasta la costa.

Se despidió cariñosamente de los Godfrey en el aeropuerto, abrazó a los tres y retuvo las lágrimas hasta que el avión bimotor ganó altura.

Se sentó detrás del piloto, junto al hindú, y él le indicó los rasgos característicos del paisaje. Sobrevolaron las islas de Zanzíbar y Pemba, territorios idílicos en medio de un mar turquesa, con sus playas y sus casas techadas con hojas de palmera. Sin embargo, el hindú habló con elocuencia del salvajismo y las masacres que habían asolado las islas hasta pocos meses atrás, de cómo los gobernantes seguían persiguiendo a los árabes y obligando a las muchachas asiáticas de apenas doce años a casarse con ellos. Así se vengaban de mil años de esclavitud, y ese revanchismo transformaba a los revolucionarios en bestias.

En el último tramo del viaje, que duró una hora y media, el hindú cambió de tema y le habló del *State of Haryana*. Había viajado varias veces a Bombay, a visitar a su familia. No era un barco demasiado cómodo, dijo como si quisiera disculparse. La comida era mala. Le dio varias indicaciones útiles. Debía llevar una abundante provisión de agua mineral, bizcochos, fruta y otros alimentos que pudiera guardar en el camarote. También una buena cantidad de insecticida en aerosol y papel higiénico, porque solía escasear.

Al escuchar aquello Kirsty sintió algún temor, que se desvaneció rápidamente. Después de pasar una noche en una tienda a pocos metros de un león, no iba a dejarse asustar por un par de cucarachas.

En Mombasa le dieron la noticia de que el barco tardaría en zarpar. El empresario le consiguió un cuarto en un hotel bueno y barato, cerca de la playa. La invitó a su casa a cenar, pero Kirsty rechazó la invitación porque quería estar sola. Nadó, paseó, e hizo algunas compras, pero estaba impaciente. Finalmente, para su alivio, el agente marítimo la llamó una mañana para decirle que el barco zarparía aquella misma tarde a las seis, y que podría embarcarse a partir de las tres. Poco después recibió una llamada de Howard desde Dar es Salaam: su contacto en las Seychelles acababa de informarle que el *Jaloud*, y Danny Lascelles, todavía estaban en el Club Náutico.

Paseando por la cubierta pensó que el *State of Haryana* no era tan malo como se lo había imaginado. No parecía limpio pero sí bastante grande, contaba con una cubierta amplia para pasear y, si quería estar sola, tenía un camarote privado.

El barco hizo sonar su sirena. Kirsty se apoyó en la baranda para mirar cómo levantaban la escalerilla. La cubierta tembló bajo sus pies, y se encontró rodeada de pasajeros que se despedían de sus amigos. Soltaron amarras, ella se dio la vuelta y vio un pequeño remolcador que levantaba espuma.

El *State of Haryana* arrojó una bocanada de humo negro y se alejó lentamente. Kirsty volvió a popa para contemplar los muelles. Por el lado de estribor pasó un *dhow* árabe, con su enorme vela y pequeño casco. Unos hombres de túnica blanca estaban sentados en círculo sobre la cubierta.

Al salir del puerto, Kirsty sintió cómo la cubierta comenzaba a mecerse al chocar con la primera ola del Océano Índico. Bajó a su camarote, pensando fervientemente en el frasco de píldoras contra el mareo.

Cuando estaba a punto de abrir la puerta de su camarote, alguien salió del camarote vecino. El gigante rubio se detuvo, sorprendido. Visto de cerca era más joven de lo que Kirsty había creído. El hombre murmuró un saludo, se volvió y se fue hacia el bar. Ella pensó que jamás había conocido a un hombre tan hermoso y viril. Debía de tener más o menos la edad de su hijo.

Cuando fue a cenar se sentía nerviosa. El camarero la condujo en silencio a una mesa ya ocupada por cinco personas. Estaba la pareja hindú de mediana edad que había visto en cubierta; una pareja joven, ambos morenos aunque de raza caucásica. Él era menudo y delgado, ella esbelta y atractiva, de cabello largo y negro. El quinto era un hindú de unos cuarenta años que vestía uniforme blanco. Se puso en pie y le acomodó la silla, mientras decía:

—Bienvenida, señora Haywood. Soy Pandit Desai, primer oficial.

Se sentaron en sillas contiguas y él presentó a los demás comensales:

—El señor y la señora Muran, que viajan a Bombay; el señor Savy y señora, a las Seychelles.

78

Se produjo un silencio embarazoso. Kirsty quería cenar sola, pero al echar una mirada alrededor observó que los sesenta y tantos pasajeros ocupaban mesas de cuatro, seis y ocho, con algún oficial uniformado en cada una. El rubio alto ocupaba una mesa con el europeo con traje safari y dos jóvenes hindúes. La mayoría de los pasajeros eran de ese origen pero también se veían rostros europeos y africanos.

La conversación se volvió más animada. El señor Muran era contable y vivía en Nairobi. Su esposa y él viajaban a la India para asistir a la boda de su hijo mayor. Eran amables pero tímidos. Los Savy eran nativos de Seychelles, de origen francés, y volvían de pasar sus vacaciones en Kenia. Tenían una propiedad en la isla Bird, noventa kilómetros al norte de Mahe, y vivían allí. Sus cinco kilómetros cuadrados servían de hábitat a una enorme colonia de aves marinas, en su mayoría golondrinas pardas. Aparte de ellos, los únicos habitantes de la isla eran seis trabajadores que recogían cocos para extraer su médula. Pensaban abrir un pequeño hotel en un futuro próximo, para alojar a los ornitólogos y pescadores. En las aguas que rodeaban la isla abundaban el atún, el pez aguja, el pez vela y otras especies más. Él dijo llamarse Guy, y su esposa Marie-France.

La comida tuvo varios platos, todos con curry. Comió poco por temor al mareo, aunque el mar estaba en calma.

Desai le habló constantemente durante la cena. Era alto y robusto, el uniforme le quedaba demasiado ajustado. Se acariciaba constantemente su negro bigote con la uña del pulgar. Le preguntó a qué se debía su viaje, y ella contestó, tras una breve vacilación, que estaba de vacaciones.

Después de la cena pasaron al salón; Desai llevó a Kirsty del brazo. Había una barra en un rincón y mesas de café rodeadas de sillas. Los Muran se retiraron a su camarote. Los otros cuatro se sentaron y se les acercó el inglés con chaqueta safari, seguido por el joven rubio.

El inglés saludó a los Savy con gran cordialidad:

—Qué placer encontraros aquí, no sabía que seríamos compañeros de viaje. Guy, te presento a Alastair Cady. Va a las Seychelles a pescar pez vela... le dije que tú eres el hombre indicado para esto.

El inglés, quien dijo llamarse John Spencer, llamó al camarero: era un hindú taciturno que vestía pantalones cortos y una camiseta sucia. El hombre tomó nota y se alejó arrastrando los pies.

—Podrían buscar un camarero de mejor aspecto —dijo Spencer a Desai. Éste se encogió de hombros y miró a Kirsty:

—Está arrendado. Es mejor así, porque si ponemos a uno de nuestros empleados a atender el bar, lo más probable es que nos robe y se pase el día bebiendo.

Hablaron de pesca. Spencer, dueño de una plantación de té en Mahe, era un entusiasta de este deporte, lo mismo que Guy Savy. De la conversación surgió que Cady había adquirido la afición en Kenia. Le habían hablado de la extraordinaria pesca de las Seychelles y había cogido el barco, aprovechando el retraso en zarpar. Escuchó ávidamente las anécdotas de Spencer y Guy, pero de tanto en tanto sus ojos se posaban en Kirsty. Desconcertada, ella trataba de no mirarlo. Mientras tanto, Desai le hablaba del barco y de los problemas que sufren los marineros al pasar tanto tiempo lejos de casa. A veces le palmeaba el brazo o le rozaba la pierna con su rodilla. Olía a desodorante barato y a brillantina.

Guy pidió otra ronda. Desai le dijo a Kirsty que era la hora de inspeccionar el barco. Dio a entender que el capitán era un inepto. ¿Querría ella dar una vuelta por el barco más tarde?

Estaba cansada, prefería irse a dormir. Otro día, tal vez.

Aquello no lo desalentó. Dijo que volvería más tarde para ver si seguía despierta.

Cady los observaba en silencio. La partida de Desai mejoró el ambiente. Marie-France le contó a Kirsty algo de la historia de las islas. Por la mañana hablaría con el jefe de camareros para que los sentaran juntos, y sobornaría al chef para que le permitiera cocinar para su mesa. Cualquier cosa con tal de combatir el aburrimiento.

Kirsty rió y por primera vez se relajó. Se dijo que le correspondía pagar las siguientes copas y le hizo una señal al camarero. Él le dedicó una mirada torva, ya que eran los únicos que quedaban en el salón, pero sirvió las nuevas bebidas. Cady alzó los ojos, sorprendido, y quiso pagar, pero Kirsty insistió.

Quince minutos más tarde, resuelto a cumplir con la costumbre, Cady llamó al camarero con una sonrisa:

—Oye, viejo, date una vuelta por aquí.

Kirsty y Marie-France estaban a punto de protestar, pero en aquel preciso instante el hindú bajó la persiana de metal oxidado.

—¡El bar está cerrado! —gritó con voz grosera.

Cady miró su reloj:

—Pero viejo, son las once menos veinte. Y ahí dice que el bar está abierto hasta las once.

El camarero apoyó las manos sobre el mostrador de estaño. Miró furioso a Cady.

—El bar cierra cuando a mí me da la gana.

Tras una pausa Cady se levantó, con su rostro juvenil muy sombrío. Caminó lentamente hacia la barra.

Aunque Cady no alzó la voz, sus palabras resonaron como pistoletazos.

—Amigo, te contaré una historia. Un campesino tenía una mula y se la vendió a otro por cien rupias. Le dijo que era una buena mula, hacía de todo. Al día siguiente vuelve el otro y dice que la mula está paralizada, que no hay modo de hacerla mover. El campesino va a la casa del otro y allí estaba la mula, más quieta que una roca. Coge un buen bastón y le da un golpe entre los ojos. La mula se pone a caminar. El campesino miró al otro y le dijo: "Vecino, le dije que era buena y hacía de todo... pero hay que hacerse oír".

Cady acercó la cara a la persiana de metal y habló con voz ronca.

—Viejo, si quieres que me haga oír esta cortina no te servirá de nada.

Sobrevino un largo silencio. El camarero lo miró a los ojos, se secó las palmas de las manos en la camiseta y finalmente murmuró:

—Tres cervezas y dos gin tonic... ¿Está bien así?

8

Kirsty se desvistió, feliz y levemente borracha. Reabierto el bar, habían bebido tres rondas más. El incidente no había alterado el clima de alegre camaradería. Cady lo había tomado como asunto rutinario y el camarero había reaccionado bien, incluso había aceptado la propina y permanecido en el bar hasta bien pasadas las once.

Los Savy eran una pareja de lo más simpática, llevaban un año de casados. Ambos pertenecían a antiguas familias de la colonia. Marie-France le contó que en el siglo XIX los ingleses interceptaban los barcos negreros que viajaban de Zanzíbar a la península arábiga, liberaban a los esclavos y los instalaban en las Seychelles. La actual sociedad multirracial era producto de la mezcla de los colonos franceses con los esclavos liberados. No era raro que un muchacho rubio tuviera un primo negro, y a nadie le molestaba. Las familias que se resistían a la mezcla racial eran conocidas como *Grand Blanc*. Los ingleses se apoderaron de las islas en 1815 pero, como eran pequeñas y de escasa importancia, el gobernador francés permaneció en su puesto treinta años más. El idioma era criollo y la Toma de la Bastilla era una fiesta más importante que el cumpleaños de la Reina.

Spencer, un tanto hosco al principio, se relajó con la bebida. Tenía una gran plantación de té en los montes Mahe. Invitó a Kirsty a pasar un fin de semana en su casa y agregó con una sonrisa pícara que su esposa estaría allí lamentablemente. Le preguntó a Cady cómo era posible que un joven se tomara unas vacaciones tan largas. ¿Pertenecía a una familia adinerada? Cady negó con la cabeza, sonrió y les contó lo de su trabajo como petrolero, los meses de sueldo acumulado y su despido.

—¿Por qué le despidieron? —preguntó Spencer.

Cady sonrió:

—Le dije a mi jefe a la cara que lo consideraba un mentiroso.

Cady y Kirsty no habían hablado mucho. Él parecía cohibido por la presencia de ella.

Por el ojo de buey se veían las luces del barco reflejadas en el agua; la proa levantaba olas. El mar estaba en calma y no había otro ruido que el zumbido de los motores y el susurro de las olas. Kirsty se sirvió un vaso de agua mineral y bebió con avidez. Kevin solía decir que un cuarto de litro de agua antes de acostarse servía para prevenir la resaca. Empezaba a gustarle el viaje en barco. El camarote era acogedor y ahora estaba limpio. El camarero había hecho la cama y la sábana estaba cuidadosamente doblada.

Bebió el resto del agua e iba a acostarse cuando oyó un golpecito en la puerta. La entreabrió, intrigada. Desai la miraba con una sonrisa sumisa.

—Vi su luz encendida. ¿Quiere conocer el barco?

—¿A estas horas? Son casi las doce.

—Es la mejor hora... todo está en calma.

—Gracias por su invitación, pero estoy muy cansada. Otro día, tal vez.

Él apoyó la mano en la puerta.

—¿Su camarote está limpio? Estos camareros son unos holgazanes... Permítame.

—Está perfectamente limpio, gracias —dijo Kirsty, y retrocedió un paso. Él abrió la puerta.

—Usted me gusta mucho, señora Haywood. ¿Puedo llamarla Kirsty?

—Si no le importa, me gustaría irme a dormir.

Desai sonrió; sus dientes brillaban bajo el bigote negro.

—Claro... claro. Pero tenemos poco tiempo. Tres noches, solamente. Además sé que le gusto, me he dado cuenta de ello enseguida.

Entró en el camarote y cerró la puerta con el pie. Cuando trabó la cerradura el corazón de Kirsty empezó a latir con fuerza.

—Señor Desai, me parece que se equivoca. No quiero... —La sonrisa de él se volvió una mueca lasciva y le cogió el brazo con fuerza.

—Sí que quiere. Conozco a las norteamericanas. En un viaje a Bombay hace dos meses había una. Las tres primeras noches dijo "no, no, no", y las dos últimas semanas "sí, sí, sí", pero no tenemos tanto tiempo.

Kirsty no podía creerlo. Hacía años que no pasaba una velada tan entretenida y, bruscamente, estaba en medio de una pesadilla. Miró la sonrisa torcida, la cara sudorosa, los ojos ávidos de Desai. Aterrada, le lanzó un golpe a la cara, pero él le aferró la muñeca, la apretó contra su cuerpo y rió.

—Me gustan las mujeres que se defienden. Pero en cuanto me sientas dentro de ti te tranquilizarás.

Kirsty trató de darle un rodillazo en la entrepierna, pero él lo evitó sin esfuerzo. Era fuerte y ágil. Con un brusco movimiento, le aferró las muñecas con una mano y con la otra le rasgó el camisón. Le apretó los pechos con fuerza. Ella cogió aire para gritar, pero la mano que le estrujaba los pechos le tapó la boca. Quiso morderla, pero él le dio un violento golpe en la mejilla que la arrojó sobre la cama, y cayó encima de ella. Sintió la mano entre sus muslos, la barba que le raspaba la mejilla, la lengua que trataba de abrirle los labios. Se debatió entre gemidos de espanto. El dolor acabó por imponerse al pánico. Era demasiado fuerte. Tendría que vencerlo con astucia. Fingiría rendirse. Giró la cabeza y susurró:

—Espere. Por favor, espere. Está bien. No me haga daño. Por favor, señor Desai, está bien. Vayamos despacio, usted pesa mucho.

Desai rió y miró los pechos turgentes de Kirsty, con una mueca triunfal. Ella trató de sonreír.

—Espere, me sacaré el camisón.

Él sonrió, jadeó y se levantó. Kirsty apoyó los pies en el suelo, tomó aliento y se lanzó hacia la pared del camarote. La golpeó con los puños y gritó con todas sus fuerzas. Al instante la mano de Desai impactó en su boca y la estrelló contra un rincón.

De repente oyó el vozarrón de Cady que gritaba su nombre y llamaba a la puerta. De un salto destrabó la cerradura y la puerta se abrió con violencia. Los ojos azules de Cady tenían un brillo furioso. La voz aterrada de Desai murmuró:

—Me invitó a...

—¡Mentira, cabrón! —gritó él y el cuerpo de Desai impactó contra la pared.

El hindú lanzó un gancho de derecha para defenderse, pero Cady lo esquivó, dio un paso adelante y sus enormes puños empezaron a golpearle entre jadeos.

Desai cayó de rodillas, Cady lo agarró del pelo grasiento y le dio un feroz rodillazo en la cara.

Varios tripulantes entraron en el camarote y los separaron, y enseguida llegó el capitán, abrochándose la camisa y preguntando a qué se debía el alboroto. Kirsty se había cubierto con su bata.

Media hora después reinaba el orden. Los tripulantes llevaron a Desai a su camarote, el capitán escuchó la declaración de Kirsty y suspiró, apenado.

Lo lamentaba mucho. No era el primer incidente de aquel tipo. Desgraciadamente, el padre de Desai era un alto ejecutivo de la empresa naviera. Esta vez el capitán actuaría con firmeza. Desai permanecería encerrado en su camarote hasta llegar a Bombay y el capitán presentaría un informe. Le tomaría declaración a Kirsty, pero le aconsejó que no llevara el asunto a los tribunales. Esas cosas eran muy complicadas. Además, ella no había sufrido daño físico. Kirsty asintió, el capitán presentó nuevas disculpas y se retiró, dejándola a solas con Cady. Ella se sentó mientras él permanecía parado en la puerta, preocupado. Con los ojos clavados en la mesa, Kirsty dijo:

—Extraño, ¿no? He pasado toda mi vida en Nueva York y nunca me ha ocurrido nada igual. He tenido que ir al otro lado del mundo para que me ocurriera una cosa así. —Alzó la vista y sonrió con tristeza.

—Hijos de puta como éste hay en todas partes.

Ella asintió sin ganas y preguntó:

—¿Siempre te pones eso para dormir?

Cady miró su sarong de colores chillones, con gesto divertido.

—Hace un tiempo trabajé en unos pozos en Indonesia. Todo el mundo los usa. Son muy cómodos. Oye, tendrías que irte a dormir.

—¿Cómo es Indonesia?

Cady empezó a hablarle del archipiélago, de sus bosques, de sus templos antiguos, de la diversidad de sus razas, pero percibió que no lo escuchaba: sólo lo hacía hablar para no quedarse sola.

—Kirsty, comprendo que estés nerviosa por lo que ha pasado. —Señaló la litera superior—: ¿Quieres que pase la noche aquí? No te molestaré.

El rostro de Kirsty se sonrojó.

—¿Me harías este favor? Sé que es una tontería, pero...

—Claro, no hay problema. Prepárame la litera de arriba, iré a buscar mi ropa.

Veinte minutos más tarde ambos seguían despiertos. Kirsty, miraba los enormes pies que sobresalían de la litera de arriba.

—¿Estás incómodo, Cady? No pensaron en los chicos como tú cuando instalaron las literas.

—Estoy acostumbrado.

—¿Cuánto mides?

—Dos metros cinco.

—¿Con o sin las botas?

—Sin —rió él—. Es una tontería, pero todos los petroleros las usamos. Vestimos y hablamos como tejanos, incluso los que no lo somos. Es como una cofradía.

—¿Te gusta este trabajo? ¿Buscarás otro igual?

—Claro que sí. Pagan bien y las vacaciones son largas.

Bostezó, y ella apagó la luz.

—Que duermas bien, Cady.

—Gracias Kirsty. Igualmente.

Kirsty trató de dormir, pero diez minutos más tarde seguía despierta. El joven acostado en la litera de arriba era un misterio. Algo le dijo que él también estaba despierto, y lo llamó con suavidad.

—Cady...

—¿Sí?

—¿Tienes familia?

—Una hermana casada, en Canadá. Mi madre murió cuando era un niño, y mi viejo se mató en un accidente de circulación. Hace ocho años, más o menos.

—¿Tienes novia?

Una pausa.

—No. Quiero decir..., novia de verdad, no.

—¿Un chico tan atractivo como tú? —preguntó ella, perpleja.

Siguió un largo silencio y Kirsty pensó si no le habría ofendido. Entonces él habló, largamente. Tal vez porque la oscuridad le permitía expresarse sin que ella le viera el rostro. Tal vez porque era mucho mayor que él... y además, mujer. Tal vez porque era el momento adecuado. Las palabras salieron serenas, pero teñidas de amargura.

—Un chico atractivo como yo, sí. ¿Sabes cuál es el problema? Las mujeres me miran como si fuera un semental... Un objeto sexual. Un tío como yo atrae a las mujeres que buscan una aventura sexual. Y a un tío de dos metros cinco, rubio y con aspecto de trabajar al sol le exigen mucho más que a alguien que mida veinte centímetros menos y tenga el pelo castaño. ¡Y si uno no satisface las expectativas es un desastre! Un tío como yo es sometido a prueba cada vez que se topa con una mujer. Claro... lo mismo ocurre con una mujer hermosa, pensarás tú. Pero no es lo mismo. Si ella no siente nada puede fingir y el tío quedará satisfecho. Pero un semental no puede fingir. Tiene que ser una experiencia inédita para cada mujer. Y si no, siempre lo mismo: ¿Qué te pasa, cariño? ¿No te gusto, cariño? La culpa la tienen los libros y las películas. El héroe siempre es un tío alto y fornido. ¡Qué coño! Alan Ladd medía un metro sesenta, y cada vez que besaba a la heroína tenía que subirse a un cajón. No conozco una sola novela romántica donde el protagonista sea un esmirriado calvo con gafas... Por eso, lógicamente, las mujeres piensan que los tíos como yo son terribles en la cama...

—¿Lo eres?

—No... claro que no. De eso estoy seguro: ni por asomo soy lo que se espera de mí.

—No pareces precisamente asexuado.

Cady rió con amargura.

—A veces soy un perfecto inútil. Cuando veo esa mirada en los ojos de una mujer... Los chicos que trabajan conmigo pasan un par de meses en el desierto sin ver a una mujer. Todo el día hablando de tías. Después van a la ciudad, con la idea fija, y cuando están con una se inhiben tanto que... Disculpa, no me parece un tema...

—No hay problema. No lo había pensado. ¿Entre vosotros habláis de esto?

—Casi nunca, sólo con los amigos más íntimos. Por eso los chicos jóvenes de los pozos salen siempre con mujeres mayores. Son más comprensivas.

—Vaya.

—Oye, discúlpame... no quise...

Kirsty vio la silueta de su cabeza asomar por el borde de la litera.

—Cady, no hay problema. Sólo que me ha sorprendido. No era la imagen que me había hecho de ti.

La cabeza desapareció.

—Justamente —dijo él con amargura—. Te contaré una anécdota. Estaba de vacaciones en Chipre con unos amigos, en un club nocturno en Limassil. Eran las tres de la madrugada y queríamos ir a Platres, en las montañas. Había treinta kilómetros y nuestro coche estaba averiado. ¿Sabes qué hicieron mis amigos?

—¿Qué hicieron?

—Cuando me fui al baño, ¡me subastaron! Había muchas turistas con coches alquilados. Les dijeron que, si una nos llevaba hasta Platres, podría acostarse conmigo. Hubo varias ofertas. Los hijos de puta aceptaron la del coche más grande. —Kirsty apenas podía contener la risa—. Joder, me enteré cuando llegamos allá, y ella se me tiró encima.

—¿Y qué pasó? —preguntó Kirsty, entre risas.

—La mandé a la mierda... Se puso furiosa. Era una alemana inmensa. Me acusó de marica... ¡Tuve que pagarle la gasolina! —Ambos rieron de buena gana— ...bueno, basta de hablar de mi vida. Es tarde.

La litera crujió al acomodarse.

Pasaron diez minutos. El balanceo del barco y el ruido de las olas contra el casco eran adormecedores, pero Kirsty estaba desvelada.

—¿Estás despierta aún? —preguntó Cady, de pronto.

—Sí.

—¿Y tú? ¿Estás casada?

—Mi esposo murió escalando una montaña, hace diez años.

—¿Era alpinista?

—Sí, era su pasión. Siempre iba solo. Se cayó por un precipicio de setecientos metros.

—¡Joder! ¿Tienes hijos?

—Un hijo. Se llama Garret.

—¿Lo dejaste en Nueva York?

Kirsty no contestó. No sabía si confiar en él, y últimamente era cautelosa al máximo.

—¿Te pasa algo, Kirsty?

—Cady —dijo con súbita seguridad—. No estoy de vacaciones. Busco a mi hijo. Dicen que está muerto, pero no lo creo.

Tal vez fue la penumbra y la intimidad del momento. Le contó la visita del agente de policía a su oficina y todo lo que sucedió después. Y luego se remontó a la época de la muerte de Kevin. Todas sus propiedades al morir sumaban apenas quince mil dólares. La mitad fue para Kirsty y el resto lo recibiría Garret al cumplir los dieciocho. Con su parte ella había pagado la entrada del apartamento. El dinero de Garret lo había depositado en una cuenta a su nombre.

Cady encendió la luz, bajó de su litera, se sentó en una silla y apoyó sus largas piernas en la cama. Le sirvió un vaso de agua a Kirsty, otro para él y la miró fijamente mientras ella proseguía con su relato.

Le habló de Garret. De niño adoraba a su padre y en muchos aspectos se le parecía. Valoraba su independencia por encima de cualquier otra cosa y se resistía a la autoridad. Tenía otro problema: su grupo sanguíneo era sumamente raro. Por eso lo había sobreprotegido. Si sufriese un accidente que requiriera una transfusión su vida correría grave peligro. Siempre llevaba una cadena al cuello, con una chapa de bronce donde figuraba su grupo sanguíneo.

Kirsty reconocía el mal que le había causado con su actitud sobreprotectora, pero no tenía a nadie más en el mundo, amaba con todas sus fuerzas a aquel chico. Pero a medida que Garret crecía aumentaba el resentimiento. Ella le había prohibido practicar cualquier deporte que exigiera contacto físico. No le permitía ir de acampada por temor a un accidente. Si tardaba un par de minutos en llegar a casa desde el colegio, sentía un pánico horrible. En pocas palabras, comprendía claramente que lo había agobiado, y él había reaccionado como cualquier persona normal en su situación. Cuando llegó a la adolescencia las peleas entre ellos se volvieron frecuentes y violentas. Siempre la amenazaba con cobrar su herencia y abandonarla al cumplir los dieciocho. Para siempre.

Su rostro se crispó al recordarlo, y tuvo que callar unos instantes.

—¿Qué pasó? —preguntó Cady con suavidad.

Ella se frotaba las manos nerviosamente.

—No le creí. Ninguna madre lo hubiese creído. Los chicos siempre dicen esas cosas.

Respiró y bruscamente se echó a llorar. Cady permaneció en su sitio. Pasados unos minutos ella alzó los ojos y se secó las lágrimas con el revés de la mano.

—Ése fue mi error, Cady. Estaba a punto de cumplir los dieciocho, y lo trataba como a un bebé. —Alzó la voz—. ¡Era un hombre, hecho y derecho! Ahora comprendo lo que sufrió. Perdió a su padre cuando era un niño... y supo enfrentarse a las dificultades como un hombre. ¡Pero su padre también lo trataba como a un bebé indefenso!

Se produjo un largo silencio, hasta que Cady habló.

—Lo has querido demasiado. No puedes castigarte por esto. No hay medida para el amor, ¿comprendes? Sobre todo para el amor de una madre. Después de lo que le pasó a tu esposo, creíste que lo hacías por su bien.

—Lo único que hice fue alejarlo de mí.

—¿Qué pasó después?

Kirsty levantó la cabeza. Sus ojos estaban vidriosos y ausentes.

—Un mes antes de su cumpleaños tuvimos una pelea violenta. No recuerdo el motivo. Desde aquel día casi no lo vi. El día que cumplió los dieciocho hizo la maleta... Yo no podía creerlo. Me quedé en la puerta de su cuarto a mirarlo. Le pregunté qué hacía. Adónde iba. No quiso hablar... ni siquiera mirarme.

—¿No pudiste detenerlo?

—No había nada que hacer. Tenía su dinero y estaba en libertad. Se iba a la India, como tantos jóvenes. Iba en busca de la verdad.

La narración de Kirsty siguió, entrecortadamente. Tuvo noticias de él cuatro meses más tarde, una carta desde Nueva Delhi. Breve, pero sin hostilidad. Estaba bien, no debía preocuparse.

Pero se preocupó. Seis semanas después le llegó una carta desde Hyderabad. Un poco más larga. Otro mes de angustia y una nueva carta, esta vez desde Bangalore y más larga que la anterior. No podía escribirle, las cartas no llevaban remite. Por fin llegó una larga carta desde Sri Lanka, donde le anunciaba que volvía a casa. Que la comprendía y que la amaba. Las lágrimas corrían por el rostro de Kirsty. Instintivamente, Cady se sentó a su lado y le cogió la mano. Ella apoyó la cabeza en su hombro. Y habló casi en susurros.

—Cady, ése fue un momento de luz... Como si saliera el sol por primera vez. He experimentado esta sensación tres veces en mi vida, la primera, cuando me casé. Era virgen. Amaba a Kevin, pero aquella situación me aterraba. Mi madre había muerto y mi padre evitaba hablarme de aquello. Lo que había escuchado en la escuela me parecía sórdido. Mis experiencias adolescentes también. Salía con chicos, pero por temor más que por atracción. Pasamos la luna de miel en un hotel en las montañas. Fue maravilloso.

Cady miró sus ojos húmedos.

—La segunda vez fue cuando nació Garret. Kevin asistió al parto. El médico no quería, pero Kevin amenazó con destrozar el hospital. Fue un parto difícil... Garret era un bebé muy grande. Duró diez horas, y Kevin no me soltó la mano un solo instante. Él fue quien puso a Garret en mis brazos. —Nuevamente le falló la voz al recordar, y apretó la mano de Cady con fuerza—. Y la tercera fue cuando recibí la carta de Garret desde Sri Lanka. Me devolvió las ganas de vivir. Mi hijo me quería. Regresaba a casa. Durante varios días llevé la carta conmigo. La leía al despertar y antes de acostarme. Me sentía libre, Cady. Libre de culpa.

Y después apareció aquel agente de policía con la noticia, y el oprimente sentimiento de culpabilidad: era culpable de lo ocurrido a su hijo. Pero de algo estaba segura: Garret no había muerto.

Tenía el rostro bañado en lágrimas y temblaba. Cady la observaba fijamente.

Hacía varias horas que hablaban. Cady miró por el ojo de buey hacia la luz plomiza del amanecer.

Tenía los ojos entrecerrados y pensativos, y el cabello rubio desordenado. Se giró hacia ella y sonrió:

—Kirsty, eres una persona maravillosa. Nunca había oído nada igual. Y si lo deseas, de ahora en adelante tendrás un ayudante. Cuando vayas a ver a ese hijo de puta de Lascelles te acompañaré.

—¿Y la temporada de pesca?

—Con tu permiso, Kirsty, me cago en las temporadas de pesca de las islas Seychelles.

9

—Señor Patel, ella no está bajo su responsabilidad —dijo el abogado.

—No opino lo mismo —dijo Ramesh, y se encogió de hombros.

—¿Por qué? Ella confiesa que entró furtivamente en su barco.

Ramesh suspiró. No era fácil de explicar. El problema no estaba en que la chica pareciera indefensa. En cierto sentido se defendía mejor que él. Lo desconcertante era su fatalismo, que la llevaba a aceptar cualquier destino. Sin embargo, al embarcarse furtivamente, de alguna manera había confiado en él.

Recordó su sorpresa al descubrirla durante el segundo día de viaje. Abrió un armario para guardar un bote vacío y allí estaba, encogida sobre los rollos de cuerda, sus ojos almendrados mirándole temerosos y desafiantes a la vez.

Más tarde, mientras bebían cerveza fría y comían un guisado, le explicó todo con abrumadora sencillez. Hacía meses que esperaba la oportunidad de escapar. Le habló de su vida en Male; el acoso del esposo de su prima; la falta de porvenir; la mediocridad de los habitantes. Estaba segura de que Ramesh era un buen hombre y no se aprovecharía de ella. Viajaba muy lejos, tal vez ella encontraría un lugar donde instalarse y forjar un futuro. No iría de polizón. Tenía dinero, poco pero suficiente para pagar su comida. Cocinaría, le lavaría la ropa y limpiaría el barco. Él le enseñaría las tareas del mar y se turnarían con el timón.

El plan le pareció sensato, pero la perspectiva lo aterró. Ramesh era un hombre tímido, jamás había sido responsable de nadie. Ahora estaba condenado a pasar varios días en estrecho contacto con una joven bellísima. Para colmo, sería responsable incluso de su vida.

Así se lo dijo. Una cosa era enfrentarse a la furia de la naturaleza jugándose la propia vida, y otra cuando se trataba de la vida de otro.

Lani puso sus reservas a un lado. Conocía los peligros. Él ya le había hablado de su falta de experiencia, aquel día en el almacén. En cuanto al resto, que no se preocupara. Aunque era virgen, sabía que posiblemente él querría acostarse con ella. Pues bien, que así fuese. Ya que la rescataba de una vida detestable, estaba dispuesta a entregarse. Confiaba en él, parecía un hombre bueno.

Estupefacto, totalmente desconcertado, Ramesh se las arregló para decirle con severidad que no debía pensar semejante cosa de él. Era inconcebible. Su honra no sufriría la menor amenaza.

En aquel momento creyó percibir una chispa de malicia en los ojos de Lani. Tal vez sabía que un hombre como él era incapaz de forzar a nadie a brindarle sus favores.

Ramesh contempló la posibilidad de volver a Male, pero la desechó. Habían recorrido casi seiscientos kilómetros y hubiera sido peligroso: soplaba un fuerte monzón en sentido contrario. Además, no le seducía la idea de devolver a la muchacha a aquella vida detestable.

Por consiguiente, el hecho estaba consumado. Lo primero que hizo Lani fue limpiar el armario. La primera noche había vomitado dentro. Además había llevado consigo una provisión de fruta: bananas, papayas y naranjas. Las mondas estaban apiladas cuidadosamente en un rincón. Fue entonces cuando él pudo apreciar la valentía y decisión de la muchacha. Debía de haber sido una dura experiencia pasar tantas horas encerrada en aquel hueco, a oscuras, en un barco que se balanceaba constantemente. Lani le lavó la ropa sucia, mientras él se ocupaba del timón, le remendó los pantalones y aseó el interior del velero de punta a punta.

Establecieron una rutina. Le enseñó a usar la brújula y mantener el rumbo, para que ella hiciera la guardia de cuatro horas hasta medianoche, mientras él dormía, y otra vez al amanecer. Cocinaba ella, y con los repetitivos ingredientes que él había comprado era capaz de hacer maravillas. Mantenía el interior del barco en un estado de limpieza deslumbrante, mientras él se ocupaba de la cubierta. Era discreta; cuando él prefería estar solo ella lo percibía. Ramesh tardó poco tiempo en comprender que estaba viviendo en el paraíso. Gozaba de la paz y soledad del navegante solitario, y a la vez tenía con quien conversar cuando lo deseaba.

Durante diez días navegaron hacia el suroeste, sin otra compañía que los peces voladores y los delfines. En aquel período idílico aprendieron a conocerse y se contaron algunas cosas de sus vidas. Lani mostraba respeto y afecto por él. Ramesh lo percibía en las miradas furtivas que le dedicaba mientras hacían sus tareas.

Ramesh trató de responder al afecto creciente de Lani con sentimientos paternales. Pero a veces tenía que contenerse, y aquello le remordía la conciencia. Cuando disminuía la fuerza del viento y hacía mucho calor, Lani se despojaba de toda su ropa menos un minúsculo bombacho y un corpiño, pues no tenía traje de baño, y se daba una ducha en la cubierta con la bomba de agua.

De pie ante el timón, Ramesh se esforzaba por mantener los ojos en la lejanía, pero volvía una y otra

vez a atisbar la esbelta silueta bajo el chorro de agua.
Pero eso no era lo peor, porque a continuación ella se
sentaba a su lado en la cabina de mando. Las gotas de
agua brillaban en su piel tersa y cobriza; el pelo húmedo enmarcaba su rostro ovalado y la curva de su
grácil cuello de cisne atraía sus pupilas rebeldes a los
pechos pequeños y erguidos, de pezones oscuros, visibles a través del corpiño mojado.

El corazón de Ramesh latía con fuerza, y cuando
ella se iba trataba de concentrarse en cuestiones tales
como la necesidad de cambiarle el filtro de aceite al
motor.

Por las noches, ponían el piloto automático y después de cenar se sentaban en la cubierta de popa.
No se sentían obligados a conversar. Los largos silencios
no los incomodaban. Pero a veces hablaban. Ramesh
recordaba una noche en particular. El motor estaba
apagado. Era una noche oscura. La única luz era el
débil resplandor de las estrellas y las lámparas de
navegación.

Después de lavar los platos Lani subió a cubierta
y se sentó en una tumbona de lona. El suave golpeteo
de las olas mecía el casco y hacía crujir las cuerdas.

—¿Has estado casado, Ramesh?

—No.

Varios minutos después:

—¿Enamorado?

—Una vez... hará diez años.

Estaba sentado a dos metros de ella, pero sólo alcanzaba a ver el contorno de su cara, no los rasgos. Esperó a que le hiciera otra pregunta, pero al cabo de varios minutos de silencio empezó a contarle su
noviazgo y cómo había alterado su visión del mundo.
Habló de la emoción de hacer planes, después de toda
una vida rutinaria y de su terrible desilusión cuando
ella cedió a las presiones familiares y decidió dejar
de verlo.

—Eso significa que no te amaba. Nada detiene a una mujer enamorada.

Ramesh dijo que la sociedad hindú estaba rígidamente estratificada, sobre todo para las mujeres.

—Lo sé —dijo Lani con amargura—. Conozco el problema en carne propia.

Le habló de su vida en Sumatra. Pertenecía a una familia de comerciantes ricos y había recibido educación. Pero cuando quiso hacer su vida, empezaron las trabas. Los chinos de Indonesia y demás países del sureste asiático se aferran a sus costumbres y su cultura con rigidez. Presionadas por el gobierno indonesio, muchas familias chinas han adoptado costumbres locales. Pero su modo de pensar, sus gustos y sus prejuicios siguen siendo marcadamente chinos. En la escuela había conocido a un muchacho indonesio que le cayó simpático. Un día su hermano mayor los había visto juntos, tomando un refresco en un puesto callejero.

Su padre la había azotado. No recordaba el dolor, sino la furia en su mirada: Lani había deshonrado a la familia al tratar con un muchacho de raza inferior.

Ramesh la comprendió perfectamente. Le habló de su niñez. Las humillaciones que había sufrido por el cruce de razas en su sangre. Ingleses e hindúes lo miraban con desprecio.

La introversión era una reacción lógica. Se había creado su propia imagen de sí mismo. Sus propias ideas acerca del bien y el mal. Juzgaba a las personas únicamente por lo que pensaban de él. Con aquella actitud no podía ganarse muchos amigos.

—¿Eras un solitario? —dijo la voz de Lani en la oscuridad.

—En cierto sentido. Mis únicos compañeros eran los libros. No tenía muchos amigos... sólo uno. Y mi madre. No era una vida alegre. El trabajo y la rutina... Sólo los libros me ampliaban el horizonte.

Luego contó lo de la estatuilla y la compra del *Manasa*.

—¿Cómo te decidiste? ¿Por qué?

—No hubo problema —replicó sin vacilar—. Nadie quería al pobre *Manasa*. El porqué no lo sé, no estoy seguro. Creo que para escapar de la soledad que ya se hacía insoportable.

—Pero navegas solo...

—Me refiero a la soledad de lo cotidiano.

—¿Y qué buscas?

—Busco gente —rió—. Gente que me mire con otros ojos.

Lani lo pensó un instante y replicó:

—Eres un hombre extraño, Ramesh. Tú y yo nos parecemos y somos diferentes. Tú quieres que la gente te vea tal como eres, sin prejuicios. Has salido al mar en busca de eso. A mí me es indiferente. No me importa lo que la gente ve en mí, sino qué veo yo en la gente y en el mundo.

Era verdad, pensó. Él quería demostrarse a sí mismo y al mundo lo que valía. Ella, que había sido educada en el orgullo de su superioridad racial, no le daba la menor importancia al asunto. No quería demostrar nada; sólo deseaba vivir a su manera.

Después de aquella conversación se sintió mejor, y comenzó a respetar la inteligencia de la muchacha. Nunca había hablado de aquellas cosas con nadie.

Faltando unos trescientos kilómetros para llegar a Mahe el viento perdió fuerza y las velas quedaron colgando como trapos. No tenía importancia. Ramesh las bajó con ayuda de Lani y encendió el motor. Durante el resto del día y la mayor parte de la noche el *Manasa* siguió avanzando a una velocidad uniforme de cinco nudos. Alrededor de las cuatro de la madrugada, Lani se despertó bruscamente al oír un terrible estruendo metálico, seguido de una explosión. Corrió a la sala de máquinas y se encontró a Ramesh contemplando el motor silencioso y humeante.

No había nada que hacer hasta el amanecer, de manera que Ramesh pasó media hora haciendo pequeños arreglos aquí y allá, completamente perplejo, mientras Lani preparaba el desayuno.

Mientras comían bajo el toldo que habían colgado de la botavara, Ramesh explicó su falta de conocimientos en la materia. En Bombay un ingeniero le había enseñado algunas cosas elementales, que le permitían encargarse del mantenimiento y algunas reparaciones menores. Pero, en este caso, no tenía la menor idea de cómo resolver la situación.

Lani le levantó el ánimo. Estaban apenas a sesenta o setenta kilómetros de Mahe. El viento los llevaría hasta allí en menos de veinticuatro horas. Izaron las velas, que quedaron colgadas como trapos.

Pero el viento se negó a colaborar, y durante cinco días flotaron a la deriva. Al segundo día avistaron Mahe en el horizonte, pero cada mañana, al despertar, lo veían a la misma distancia.

El problema que más preocupaba a Ramesh era el agua. La provisión que había cargado en las Maldivas era más que suficiente para un hombre solo, pero justa para un navegante y un pasajero. Lani lo tomaba con mucha calma, su fe en Ramesh seguía intacta a pesar de que él no tenía la menor idea de cómo solucionar el problema del motor. Se dedicó a pescar, con bastante éxito porque las aguas eran poco profundas, mientras Ramesh pasaba las horas tratando de reparar el motor, furioso ante su propia impotencia.

Al quinto día estaba desesperado. La corriente desplazaba el barco hacia el este: si seguían así no llegarían a las islas, y se hallaban a mil quinientos kilómetros de la costa africana.

Se maldijo por no haber instalado un radiotransmisor. Si no hubiera cometido esa idiotez, no habría puesto en peligro su vida y la de Lani.

Aquel día ella demostró lo que valía. Confiaba plenamente en que el viento acabaría por llevarles a Mahe. Le preparó una comida exquisita, hablando sin parar sobre lo que harían en cuanto llegaran a puerto. Tanto optimismo acabó por levantarle el ánimo a Ramesh. La calma no podría durar mucho más.

Después de comer, vieron que un barco avanzaba en dirección al *Manasa*.

¿Cómo explicarle todo esto a Rajaratnam, el abogado hindú cuya familia había emigrado a las Seychelles un siglo antes? A pesar de su perplejidad, sentía auténtico afecto por Lani, y le irritaba pensar que estaba encerrada en una celda.

—¿Qué será de ella?

Rajaratnam se encogió de hombros. Era un hombre menudo y puntilloso, que usaba gafas redondas, camisa blanca y corbata oscura.

—Es un caso difícil. A los polizones se les devuelve a sus puertos de origen. No le permitirán instalarse aquí. No posee una fuente de ingresos comprobable, como exige la ley. Tampoco tiene pasaporte. La decisión corresponde al gobernador, pero él no volverá hasta la semana próxima.

—¿Hasta entonces seguirá en la cárcel?

—Es lo que manda la ley —dijo el abogado con una mueca de disgusto—. Sin embargo, veré qué puedo hacer... Pueden dejarla en libertad bajo su custodia, pero tendrá que pagar una fianza.

—¿Cuánto?

—No lo sé. Diez mil rupias en moneda local, máximo. ¿Tiene esta suma?

Ramesh hizo algunos cálculos mentales y asintió.

—¿Sus honorarios, señor?

El abogado hizo un gesto negativo con la mano.

—No se preocupe. Primero saquémosla de la cárcel bajo su custodia, después hablaremos de esto.

—Se lo agradezco. —Ramesh recordó su otro problema—. Dígame, ¿no conoce algún mecánico? El motor...

Rajaratnam frunció los labios, pensativo.

—Humm, no es tan fácil. Conozco a uno. Charlie. Charlie Marzzochi. Es italiano, y muy buen mecánico, pero está haciendo un trabajo en las islas Mauricio. Otro mecánico está preso por robar gasóleo... No conozco a nadie más. Aquí vive poca gente. ¿El problema es grave?

—Creo que sí. Entiendo poco de eso...

El abogado lo miró unos instantes, con aire inquisitivo. Pero bruscamente sonrió:

—Es una locura... ¡pero qué aventura! Si no tuviera que mantener a una esposa, una suegra, ocho hijos y Dios sabe cuántas personas más mandaría todo al diablo y me iría con usted. —Se echó atrás en su sillón, alzó los ojos hacia el ventilador, que giraba lentamente, y en tono cansino y preciso, como si estuviera en un tribunal, añadió—: Lo primero es diagnosticar el fallo. ¿Es viejo el motor?

—Cuarenta años, o más.

El abogado hizo una mueca.

—Le será difícil conseguir repuestos, incluso si fuera un motor más nuevo. De todas maneras, lo primero es el diagnostico. Le sugiero que hable con Jack Nelson. Es inglés. Funcionario del gobierno colonial de Tanzania, lo jubilaron y vino a instalarse aquí. Es ingeniero naval.

—Perfecto —dijo Ramesh con un suspiro de alivio, pero el abogado alzó la mano.

—Dos cosas más. Primero, él dice que es ingeniero... y le gusta hablar si le dan oportunidad. Escuchándolo uno tiene la impresión de que, durante la guerra, la escuadra inglesa se mantuvo a flote gracias a él. Después se dedicó a construir caminos en Tanzania; es decir, hace años que no toca un motor de barco. Para mí, es un charlatán. —Rajaratnam vio el gesto de tristeza de Ramesh y se apresuró a añadir—: De todas maneras, creo que sabrá descubrir la avería. Pero hay otra cuestión: ¡no es un hombre fácil de convencer!

—¿Por qué? Estoy dispuesto a pagar, siempre que esté dentro de mis posibilidades.

—No es eso —sonrió el abogado—. Jack Nelson es un racista, como todos los viejos funcionarios coloniales. Hay muchos aquí, que trabajan en el gobierno. No tengo problemas con él, fui yo quien le hizo los tramites para la compra de su casa. Pero usted es anglohindú y, por extraño que parezca, a usted lo despreciará más que a mí.

—Conozco esta actitud —dijo Ramesh con una sonrisa de amargura—. Creen que atentamos contra la pureza de su raza.

Rajaratnam se encogió de hombros y miró su reloj:

—Bien, señor Patel, sugiero que vaya ahora mismo al Club Náutico. Nelson es cliente asiduo del bar. Trate de ganar su confianza. La mejor táctica es una mezcla de halagos y cerveza: ambos lo ablandan. Mientras tanto me ocuparé de la señorita Sutowo. No se preocupe por ella: la cárcel es relativamente cómoda y no maltratan a los presos. Podrá verla por la mañana.

Ramesh le dio las gracias y se levantó. Cuando llegó a la puerta se detuvo al oír la voz del abogado.

—Si se gana la simpatía de Nelson, explíquele el problema. Tal vez él pueda ayudarle.

—¿Cómo?

Rajaratnam separó las manos con gesto de resignación.

—Entre ingleses se entienden, sabe, Black, el jefe de policía, es funcionario colonial retirado... y amigo de Nelson.

—Comprendo —dijo Ramesh, pensativo—. Tendré que hacer correr bastante cerveza.

—Y de la más cara —sonrió el abogado—. ¡Nelson sólo bebe Heineken importada!

Lani contempló la salida del sol sentada en un banco de madera del patio de la cárcel. La celda, con una única y pequeña ventana, era demasiado calurosa. Cuando observó con sorpresa que no cerraban la puerta, la funcionaria le explicó con una sonrisa que aunque lograra escapar no tendría dónde ocultarse. Era la única prisionera, y estaba sola en el patio.

Desde la cárcel, ubicada sobre la cresta de una colina, se veía Victoria, la capital, el puerto y los islotes que lo rodeaban. A la luz del amanecer alcanzaba a divisar el casco blanco del *Manasa* anclado en el muelle del Club Náutico. Aquellos días con Ramesh habían sido los más felices de su vida. Pero ahora sus perspectivas eran sombrías. Los ingleses eran gente estricta y aplicaban la ley. La funcionaria le había dicho que varias personas habían sido deportadas aquel año, en su mayoría vagabundos sin trabajo que vivían de la caridad de los habitantes de la isla. La tarde anterior Ramesh le había dicho que trataría de conseguir un abogado e iría a verla por la mañana. Imaginó que con semejante calor probablemente estaría durmiendo en la cubierta del barco.

Durante la media hora siguiente se dedicó a pensar qué le esperaba. ¿La enviarían de regreso? ¿Lograría Ramesh reparar el motor y seguir el viaje? ¿Le permitirían partir con él? ¿La aceptaría él a bordo?

El ruido de la puerta interrumpió sus pensamientos. Era la funcionaria, una negra gorda y sonriente, que entraba con una bandeja.

—Tu desayuno, jovencita —dijo con tono melodioso—. ¿Has dormido bien?

Puso la bandeja sobre el banco, se sentó pesadamente y se abanicó con la mano.

—Acaba de empezar el día y ya hace tanto calor que los huevos podrían freírse sin fuego.

Lani miró la bandeja. Un par de huevos fritos, una loncha de tocino grasiento, una rebanada de pan con mermelada y una taza de té con leche. No estaba tan mal.

Mientras comía, sorprendida de su hambre, la mujer hablaba alegremente de una fiesta a la que había asistido la noche anterior, en la playa.

Finalmente se fue con la bandeja, dejando a Lani sola otra vez. Se trataba de un pueblo alegre y feliz, nada tenía que ver con el de la isla de donde venía y adonde la enviarían de regreso.

La puerta se abrió nuevamente. Era Ramesh.

Lani se levantó de un salto, corrió a su encuentro y lo abrazó con fuerza. La funcionaria les dedicó una amplia sonrisa y se retiró.

Lani le cogió la mano y lo condujo al banco.

—¿Malas noticias, Ramesh?

—Sobre tu situación no hay novedades hasta el momento —dijo, encogiéndose de hombros—. El único que puede decidir es el gobernador, que está ausente y volverá dentro de un par de días. He contratado un abogado... un señor de lo más amable llamado Rajaratnam. Es de una familia hindú que se instaló aquí hace varias generaciones. No es optimista, pero dice que hará lo que pueda... Parece ser que es muy capaz.

—Debe de cobrar caro —dijo Lani en tono preocupado.

—Tal vez, pero no lo creo —sonrió él.

—¿Y el barco? ¿El motor está en mal estado?

Su sonrisa se desvaneció y exclamó, exasperado:

—¡No lo sé, coño, no lo sé!... Perdóname.

La reacción la sorprendió. Jamás lo había visto enojado.

—¿No puedes hacer nada, Ramesh? Seguramente hay algún mecánico en la isla.

—¡Mecánico! —gruñó con desdén—. Uno está trabajando en Mauricio. El otro está aquí en la cárcel. Hay un ingeniero naval a quien le deseo el infierno.

Ramesh tomó aliento y se lo contó todo.

La noche anterior, cuando entró en el Club Náutico, Jack Nelson estaba sentado en el bar con Dave Thomas y otros dos ingleses. Estaban en semicírculo, y después de echar una mirada al recién llegado reanudaron su conversación.

Su timidez le impidió interrumpir la tertulia. Se fue al otro extremo de la barra, pidió una cerveza y se sentó en una mesa del rincón. La bebió lentamente durante media hora, hasta que los dos ingleses se despidieron, entre risotadas. Entonces se acercó a la barra, pidió otra cerveza y, mirando de reojo, le dijo al camarero:

—Tal vez estos caballeros acepten una copa.

Thomas meneó la cabeza:

—Gracias, pero debo irme. Mi *bundu* me espera para cenar. —Señaló a Nelson con el pulgar—. Jack no la rechazará. Aún no ha aprendido a decir que no. —Vació su copa, se bajó del taburete, palmeó a Nelson en la espalda y se fue.

Ramesh ocupó el asiento vacío. El camarero puso una botella de cerveza cubierta de escarcha junto al vaso de Nelson.

—Permítame presentarme. Ramesh Patel, de Bombay.

—Jack Nelson —dijo el otro, en un murmullo. No le tendió la mano.

—Tengo entendido que estuvo en la marina.

—¿Quién se lo ha dicho? —preguntó Nelson con fastidio.

—El señor Rajaratnam. He estado con él hoy.

Nelson sonrió.

—Ah, el viejo Raja. Buen tipo. Sí, es verdad, estuve en la marina desde el principio hasta el final de la guerra... y unos cuantos años más. Buenos tiempos aquellos.

Bebió, llenó su vaso nuevamente, acomodó su corpachón y empezó a recordar.

Durante una hora Ramesh se esforzó por fingir el mayor interés. Escuchó las hazañas de Nelson, que aparentemente había reparado toda clase de buques de guerra y submarinos. Al cabo de seis botellas de cerveza, le dijo:

—Veo que es un ingeniero de primera.

Nelson se encogió de hombros con modestia, y dedicó a Ramesh una sonrisa torcida:

—No recibimos tantas medallas como los oficiales de cubierta, pero gracias a nosotros los barcos se mantuvieron a flote. ¡Conocíamos bien nuestro oficio!

—Ya lo creo —murmuró Ramesh con respeto—. ¿Le gustaría echarle una ojeada a mi motor?

La sonrisa de Nelson se desvaneció.

—¿Su motor?

—Sí. Un Perkins P4. Está averiado.

—Eso lo sé. ¿Es por eso que me ha invitado a cerveza?

—No, nada de eso. Sus experiencias son muy interesantes... de veras.

El rostro de Ramesh no sabía mentir, y Nelson se enfureció.

—¡Malditos sean todos ustedes! —gritó—. ¿Creen que con un par de cervezas se compra a cualquiera?

—No, por favor —balbuceó Ramesh—. Le pagaré por su trabajo.

—¡Pagarme! —rugió Nelson. Su rostro sudoroso y congestionado se acercó al de Ramesh—. ¡Pagarme, ha dicho! ¡Cree que voy a trabajar para un infeliz como usted! ¡A los tipos como usted no deberían dejarlos entrar aquí!

—¿Ah, sí? —exclamó, también furioso—. Pero cuando se trata de aceptar un trago no hay prejuicios raciales, ¿verdad?

Se miraron a los ojos, hasta que Nelson se dirigió al camarero:

—Jimmy, devuélvele a este desgraciado el dinero. Pon las cervezas en mi cuenta. —Luego se encaró a Ramesh—: Le voy a dar un consejo. Mañana o pasado pasa por aquí un barco hindú, que va a Bombay. Vuelva a su casa. Usted no es marino, nunca lo será. Sólo es un *babu* infeliz.

—¡Pues usted —replicó Ramesh— es un maldito charlatán! No sabe hacer otra cosa que beber y mentir. —Su propia ira lo sorprendió, pero detrás de ella había angustia y frustración—. Además es un racista. Pero la gente como usted ya no domina el mundo. Se acabaron sus excesos coloniales, sus sirvientes y clubes finos, estimado Nelson. Los tipos como usted están en vías de extinción.

Dicho esto se encaminó hacia la puerta sin mirar atrás, mientras Nelson temblaba de indignación, incapaz de abrir la boca.

—¿Comprendes, Lani?

Lani asintió con tristeza, pero sonrió para darle ánimos.

—No importa, Ramesh. Encontraremos la solución... ¡oye! Podrías hablar con el mecánico del barco hindú que pasará por aquí.

—Ya se me había ocurrido. Pero el barco sólo se detiene un par de horas.

Lani pensó unos instantes, y preguntó:

—¿Te irás en ese barco?

—También se me había ocurrido —suspiró Ramesh—... pero sería el fin de mi sueño y además... ¿qué será de ti?

—Ramesh, yo me oculté en tu barco sin consultarte. No eres responsable de mí. No pienses en mí al tomar tu decisión.

—Oh, cállate, Lani —sonrió. Miró su reloj—. El abogado ya estará en su oficina. Es un hombre inteligente. Le pediré consejo. Volveré a visitarte esta noche.

Se levantaron, ella lo abrazó fugazmente.

—No te desanimes, Ramesh. Ese Nelson es un estúpido. Ya encontrarás la solución.

Su conversación con Rajaratnam lo deprimió aún más. El abogado le sugirió que hablara con un tal Jean Lamont, ayudante del taller de Charlie Marzzochi. De todos modos, la tarea principal de Jean consistía en barrer el taller, no en arreglar motores.

Tampoco era optimista en cuanto a la situación de Lani. Hablaría por la tarde con el jefe de policía, pero sabía que el hombre no querría tomar una decisión hasta que volviera el gobernador. Mientras tanto, Lani tendría que seguir en la cárcel.

En cuanto al propio Ramesh, el abogado se mostró solidario pero firme. Si no conseguía un buen mecánico que le solucionara el problema o no tenía dinero suficiente para comprar un motor nuevo, las perspectivas eran sombrías, y lo mejor sería embarcarse en el *State of Haryana* de regreso a Bombay. De todas maneras, no había motivos para precipitarse. El barco tardaría un par de días en llegar, y mientras tanto tal vez encontraría una solución.

"¡Una solución!", pensó Ramesh con amargura, al encaminarse hacia el Club Náutico. Tal como se sucedían las cosas, más que una solución tal vez caería en cama con fiebre tifoidea.

Al ver el Ford blanco de Nelson estacionado frente al club, decidió no entrar. Se dirigió al muelle, alzó la vista y se detuvo en seco. Jack Nelson estaba sentado sobre una caja de herramientas verde, junto al *Manasa*. Por un instante le pareció que era una alucinación, pero Nelson le dijo:

—Espabile, hace media hora que estoy aquí esperándole.

Ramesh se acercó lentamente y el inglés se puso en pie.

—Pero... No entiendo.

Nelson habló con voz ronca.

—Anoche, cuando llegué a casa me tomé un par de copas y estuve pensando. Sé que estaba enojado y dije cosas que no debería... ¡Y usted también! Pero entonces pensé, ¿qué tiene de malo que me pida que vea el motor? Marzzochi no está, el idiota de Dauvall está en la cárcel, soy el único...

Ramesh sólo atinó a murmurar frases inconexas de agradecimiento.

—No tiene por qué —dijo Nelson, tan avergonzado como el otro—. Últimamente estoy un poco quisquilloso. Desde que mi mujer murió... Bueno, echémosle una mirada a ese motor.

Subieron la caja de herramientas a cubierta.

—No se haga muchas ilusiones —dijo Nelson—. Aunque debo aclarar que soy ingeniero naval. Pero hace quince años que no arreglo un motor de barco. ¿Dijo que es un Perkins P4?

Ramesh asintió.

—Bien, conozco esos motores. Son anteriores a la guerra.

—Creo que es uno de los primeros modelos —dijo Ramesh tímidamente.

Nelson hizo una mueca de desaliento, pero enseguida agregó:

—Bueno, en aquella época hacían buenos motores. Veamos.

Bajaron a la sala, y Nelson echó un vistazo:

—Qué limpieza —masculló.

—Gracias. Venga, el motor es por aquí.

Cruzó el pasillo y se apartó para que Nelson pudiera pasar.

Nelson miró el motor, e hizo un gesto con la cabeza:

—¿Qué pasó?

—Yo estaba en cubierta, medio dormido. De pronto oí un ruido metálico, una explosión y el motor se paró.

Nelson aspiró entre dientes.

—Mala cosa. ¿No funcionó más?

—No. ¿Qué puede ser?

—Muchas cosas. Lo primero que voy a mirar es el balancín. —Se quitó la camisa y agregó—: Voy a tardar un buen rato, con un motor tan viejo tal vez tenga que usar un formón. Alcánceme la caja de herramientas, y después vaya al club y traiga un par de cervezas frías. —Le pasó su camisa a Ramesh y dijo con una sonrisa—: Dígale que lo anote en mi cuenta.

Sin darle tiempo a protestar, le dio la espalda, se inclinó sobre el motor y comenzó a trabajar.

Ramesh cruzó el muelle abrumado. Había logrado ver en la cintura de Nelson, por encima de sus pantalones, una faja de plástico de unos doce centímetros de ancho. Sabía lo que era: una colostomía, que se coloca en una persona que ha sido operada de cáncer de intestino. La madre de Ramesh había sido operada de lo mismo, pocos meses antes de su muerte. Aquello explicaba la pérdida de peso de Nelson, así como el color enfermizo de su piel. También el mal carácter, si es que sabía que le quedaba poco tiempo de vida.

Ramesh pidió fervientemente tener una oportunidad para disculparse por lo dicho la noche anterior.

112

10

—Tengo novedades de tres tipos: malas, horribles y catastróficas. ¿Por dónde quiere que empiece? —dijo Jack Nelson y miró a Ramesh con una sonrisa cansada. Su cuerpo estaba bañado en sudor.

Estaban sentados bajo el toldo de la cubierta de popa. El sol del mediodía era implacable.

—¿Tan mal está la cosa?

Nelson asintió. Tenía el rostro congestionado por el calor.

—Se lo explicaré sin rodeos. Con el formón he levantado la tapa del balancín. El eje está corrido y torcido. Las válvulas bloqueadas. He pensado que sería un problema del distribuidor. He sacado la polea, el regulador y la tapa del distribuidor. Me ha costado mucho trabajo, estaba todo muy oxidado y viejo. He encontrado la cadena del distribuidor rota, lo que a su vez había roto unos cuantos dientes de la rueda del cigüeñal. En pocas palabras, el motor está en las últimas. Pero hay esperanzas.

—¿Se puede arreglar? —preguntó Ramesh, abatido.

Nelson bebió otro trago, tomó aliento y asintió.

—Todo se puede arreglar, si uno tiene tiempo, repuestos, herramientas y conocimientos. Claro que es un trabajo duro, difícil y frustrante, especialmente con este calor. He encontrado algunos de los repuestos que necesita en su cajón. Válvulas viejas pero sanas, y una tapa de cilindro. Lo más difícil de conseguir es la cadena del distribuidor. Después habrá que soldar la rueda del cigüeñal, enderezarle y limarle los dientes y templarla. El eje del balancín necesita atención. Cuando saque la tapa, seguramente habrá válvulas y cabezas de pistón dañadas. Hay que volver a colocar la rueda y la cadena y poner a punto las válvulas y la bomba de combustible. Y además fabricar una nueva junta de corcho para la tapa, más la polea y otras cositas.

Ramesh trató, en vano, de imaginar todo aquello, pero Nelson prosiguió, implacable.

—Después de colocar la tapa del cilindro y la caja de las válvulas, se deberá controlar otra vez el distribuidor y cambiar los inyectores, y todo el sistema de escape. En fin: hay que reconstruir el motor. —Se paró a respirar, bebió otro trago y estudió el rostro perplejo de Ramesh—. Sí, es un lío. Digamos que un mecánico de primera, con los repuestos y herramientas adecuadas haría el trabajo en diez días. El único que conozco es Charlie Marzzochi. Es joven, pero sabe de motores y tiene taller propio. El único problema sería la cadena del distribuidor. Pero Charlie está de viaje, y tal vez tarde varias semanas en volver... ¿Puede esperarlo?

—No tengo prisa. Pero parece que me va a costar caro.

—No tanto. Diez días de trabajo... no creo que suba más de tres mil rupias. Si es que consigue una cadena de distribuidor... y —Bruscamente Nelson se interrumpió y frunció el entrecejo, pensativo—. Un momento, pensemos. El año pasado Charlie me enseñó el taller. Está muy bien equipado. Tiene unos motores viejos, de donde saca los repuestos. Había un P4, un poco dañado, pero tenía la cadena...

Nelson se inclinó hacia adelante, agarró otra botella y bebió largamente. Después de unos instantes de silencio alzó los ojos lentamente y su rostro sudoroso se distendió en una sonrisa radiante.

Ramesh sonrió con timidez, contagiado por el extraño estado de ánimo de Nelson.

—Creo que no necesitamos a Marzzochi... ¡Yo arreglaré el motor! Usaré las herramientas de Charlie; no creo que se moleste por eso. ¡Yo arreglaré esta condenada máquina!

Estaba eufórico, y Ramesh comprendió. Durante aquellas últimas tres horas Nelson había revivido su juventud y sus conocimientos. La obsesión de todo buen mecánico es coger una máquina vieja y gastada y ponerla a punto. Nelson quería demostrarse a sí mismo que, a pesar del tiempo transcurrido, su capacidad seguía intacta.

Ramesh se sintió reanimado por el entusiasmo de Nelson.

—En un par de días tendré desmontada la tapa del cilindro y todo lo demás... después al taller. Comamos y me pondré a trabajar.

—Señor Nelson —dijo Ramesh solemnemente—, quiero disculparme por las cosas que dije anoche.

Nelson sonrió con picardía. Dejó de caminar y le tendió la mano.

—Empecemos de nuevo, entonces. Mi nombre es Nelson pero puedes llamarme Jack.

Ramesh se detuvo y le estrechó la mano.

—Ramesh Patel. ¿Vamos a comer?

—De acuerdo. Pero dime, ¿qué hay de la muchacha que venía contigo?

La sonrisa de Ramesh se esfumó.

—Estamos en dificultades. Seguirá en la cárcel hasta que vuelva el gobernador. Esta tarde Rajaratnam irá a ver al jefe de policía para tratar de obtener su libertad... pero no tiene muchas esperanzas.

—¿Y si la dejan en libertad?

—En este caso —dijo Ramesh, encogiéndose de hombros—, y si tú arreglas el motor, se irá conmigo. No tiene hogar y... pues... Nos llevamos bien.

Nelson terminó de abrocharse la camisa y lo miró con una sonrisa astuta, que se borró al ver la expresión ruborizada de Ramesh.

—En realidad es casi una niña. Me preocupa su situación.

Nelson pensó unos instantes mientras se arreglaba la ropa.

—Bob Black no es mala persona, pero es un indeciso. Necesita estímulos. Come en el Club Seychelles, en Victoria. Vamos, a ver qué podemos hacer.

Un velero de casco negro y dos mástiles pasaba frente al islote de la entrada al puerto. Había tres hombres cerca de la proa y un hombretón de barba negra, con los brazos y el pecho cubiertos de espeso vello.

—El *Jaloud* —murmuró Nelson con odio, y señaló con el mentón al timonel—. Y ése es Danny Lascelles, su capitán. Un tipo peligroso... vámonos.

Bajaron del *Manasa* y cruzaron el muelle.

SEGUNDA PARTE

11

Kirsty jamás había contemplado una pelea y, menos, a un hombre víctima de una paliza. Quien sufría el castigo era Cady. Lascelles y su amigo portugués lo golpeaban dura y rítmicamente. Cuando Cady cayó sobre la grava del aparcamiento y Lascelles empezó a patearle las costillas, Kirsty gritó y se abalanzó hacia él. El portugués la detuvo alzándola sin esfuerzo, mientras gritaba y daba patadas al aire. Lascelles trataba de separar los brazos de Cady para darle en la cara. Tras una eternidad se apartó, con un fulgor sádico en los ojos y un hilillo de baba corriéndole por el mentón.

—Creo que este hijo de puta ya tiene bastante —jadeó. Sonrió y miró al portugués—: Suéltala, Carlo.

Kirsty puso los pies en el suelo, libre de las garras del portugués, y se arrodilló junto al cuerpo inerte de Cady. El joven canadiense estaba en posición fetal y respiraba con dificultad. Kirsty le habló suavemente e intentaba apartarle las manos de la cara cuando un objeto dorado cayó a su lado sobre la grava. Era el reloj de Garret. Alzó la vista y se encontró con el rostro sonriente de Lascelles.

—Quédese con esta mierda —dijo, y señaló a Cady—. Cuando se despierte, dígale que no se meta en donde no le llaman.

• • •

Tres horas más tarde Kirsty estaba sentada en una mesa de la terraza del hotel Northolme. Tenía una vista paradisíaca de la cala y de la playa de arena blanca. El sol poniente proyectaba un resplandor rojo sobre la idílica escena, en absoluto contraste con el estado de ánimo de Kirsty.

Al apartarle las manos del rostro a Cady y ver la masa sanguinolenta, casi había vomitado. Luego corrió hacia el camino. Un camión bajaba por la ladera, cargado de trabajadores de las plantaciones que volvían a sus hogares. El vehículo se detuvo con un chirriar de frenos, y varias manos alzaron suavemente a Cady hasta el remolque. El camino estaba plagado de baches, pero afortunadamente se hallaban cerca del hospital.

Cady gemía a cada salto del camión. Al principio Kirsty pensó que agonizaba: nunca había visto un rostro tan desfigurado. Los labios hinchados y violetas, la nariz torcida y un sinfín de moretones y heridas. Recordó los gruesos anillos de oro en los dedos de Lascelles y comprendió. Cady tenía un ojo cerrado y el otro abierto. La miraba como un niño perdido.

—No te preocupes, Cady —le susurró al oído—. En pocos minutos llegaremos al hospital.

Él asintió y movió los labios. Kirsty creyó que quería hablar, pero sólo trataba de escupir un diente suelto entre los labios tumefactos.

En el hospital lo llevaron directamente a la sala de urgencias. Una enfermera le limpió la sangre del rostro y un médico irlandés, llamado O'Reilly, se acercó para revisarlo. Le pidió a Kirsty que saliera. Ella se sentó en el pasillo, y aceptó que una enfermera le sirviera una taza de té.

Media hora más tarde salió O'Reilly, secándose las manos con una toalla. Al ver la mirada preocupada de Kirsty sonrió.

—No se preocupe, se pondrá bien. —Se sentó a su lado, sacó un paquete de cigarrillos y la invitó. Ella negó con la cabeza. O'Reilly encendió el cigarrillo y aspiró el humo.

—Este maldito Lascelles. Si tuviera una consulta privada me haría rico atendiendo a sus víctimas.

—¿Está muy mal? —preguntó Kirsty con voz inexpresiva.

—Menos de lo que parece. Nariz rota, múltiples contusiones en el rostro y supongo que un par de costillas fisuradas. Pero esto no lo sabré hasta que llegue el radiólogo. Seguramente tiene algunos derrames internos. El viejo Morey, el dentista, tendrá que arreglarle la boca. Una típica paliza de Lascelles. Le hizo lo mismo a un marinero inglés de un barco mercante hace unos meses... Estaban jugando al póquer.

—¿Pero quedará bien? —preguntó Kirsty, ya más tranquila.

—No puedo contestarle con total seguridad. Tendré que coserle las heridas de la cara, y eso le dejará un par de cicatrices. Veré qué puedo hacer con la nariz. —Dio otra calada al cigarrillo, pensativo—. ¿Era atractivo?

—Ya lo creo —dijo Kirsty, sonriendo a pesar de su preocupación—. Pero no creo que las cicatrices y la nariz rota le angustien demasiado.

O'Reilly la miró sorprendido, pero cuando iba a hablar apareció un joven de tez morena.

—Es Lecler, el radiólogo. —O'Reilly les presentó y añadió—: En media hora estarán las radiografías. Lo tendré en observación un par de días. Venga a verlo mañana, después de las once. Le diré al dentista que madrugue, para que le deje la boca en condiciones de hablar —dijo sonriendo.

El sol se perdía en el horizonte contra el telón de fondo del cielo rojo del atardecer. Mientras contemplaba la escena, Kirsty hizo un balance de la situación.

Su amistad con Cady se había consolidado. Se sentía atraída físicamente por él, pero debía rechazar una relación de ese tipo. No deseaba más que una amistad platónica, y esperaba que los sentimientos y expectativas de él fuesen los mismos.

La travesía había sido sumamente agradable. Eran un grupo de gente divertida, y la conversación y el compañerismo no habían decaído en ningún momento.

Cuando llegaron a las Seychelles el barco ancló en la rada y una lancha los llevó al muelle de la Aduana. Cady le preguntó al timonel, en tono indiferente, si el *Jaloud* estaba en el puerto, y éste le señaló los dos mástiles negros que asomaban por encima de la escollera del Club Náutico. Se despidieron de los Savy, con la promesa de hacer todo lo posible por visitarles. Spencer les había reservado habitaciones en el hotel Northolme y, a pesar de sus protestas, les había llevado en su coche por el sinuoso camino de la costa. La dueña del hotel se llamaba White. Era viuda y administraba el establecimiento con la ayuda de su hija de doce años y algunos nativos. Spencer los había dejado allí tras invitarles a cenar en su casa: les indicaría el día una vez que hablara con su esposa.

El edificio era un antiguo caserón de una plantación, acondicionado como hotel, rodeado de enormes tiestos de flores. Los suelos de madera crujían, los muebles eran viejos, y el panorama del océano espectacular. La señora White, alta y robusta, les brindó una calurosa acogida, pero Kirsty ardía de impaciencia por conocer a Lascelles, y casi no le prestó atención. Pidió que le consiguieran un taxi y deshizo las maletas rápidamente.

El viaje hasta el Club Náutico transcurrió en tenso silencio. El chofer, hombre amable y locuaz, señaló algunos lugares de interés, pero al percibir el estado de ánimo de Kirsty y Cady optó por callar.

No había nadie en el Club Náutico, aparte de un camarero soñoliento. Era media tarde, hora en que casi todo el mundo dormía la siesta. Salieron a la terraza y permanecieron largo rato en silencio, contemplando el casco negro del velero. Pero no vieron a nadie. Estaba desierto.

Se preguntó si Lascelles estaría bajo cubierta. Cady se dirigió al camarero:

—¿Lascelles está en el *Jaloud*?

El otro negó con la cabeza.

—Es viernes. Debe de estar jugando al póquer en el Trianon.

—¿Dónde está esto?

El camarero señaló con el pulgar detrás de su hombro.

—Subiendo por la cuesta, en el camino a Beau Vallon. Es una casa con techo verde a dos aguas.

Cogieron el taxi y se bajaron en el aparcamiento frente al bar.

El local era sucio y oscuro, y cuando sus ojos se adaptaron a la penumbra, Kirsty sintió un pinchazo de angustia. No había nadie, aparte de una joven mulata, sentada en la barra, y un viejo que lavaba las copas. Cady entró detrás de ella.

—¿Lascelles? —preguntó.

La muchacha apuntó su larga y roja uña hacia un rincón. No había nadie, pero se alcanzaba a ver un picaporte y el vago contorno de una puerta, pintada de verde oscuro como las paredes. Sin vacilar Kirsty se dirigió hacia allá, seguida por Cady, abrió la puerta y se encontró ante una escalera de madera. En el descansillo de arriba había otra puerta.

—¿Quieres que suba primero? —susurró Cady por encima de su hombro.

Kirsty negó con la cabeza y subió. Al llegar a la puerta se detuvo, tomó aliento, la abrió y entró.

Era un altillo grande, sin ventanas. La única luz provenía de una bombilla sin pantalla suspendida sobre una mesa de madera. Cinco hombres estaban sentados alrededor de ella, rebosante de botellas, vasos, ceniceros y billetes. El lugar apestaba a cerveza y sudor. La pila de billetes más alta era la del hombre sentado frente a la puerta. Tenía cuerpo cuadrado, expresión torva, ojos estrechos y muy separados, y barba puntiaguda. Su mano derecha sostenía una baraja de cartas. Usaba varios anillos gruesos, de oro. En su muñeca brillaba un reloj de oro. Kirsty supo con certeza que se hallaba frente a Danny Lascelles.

Los hombres se volvieron para mirar a la mujer y al gigante rubio que acaba de entrar detrás de ella. El hombre situado a la derecha de Lascelles, casi tan robusto y curtido como él, sonrió y habló con fuerte acento extranjero:

—Hola, preciosa. ¿Quieres jugar?

Kirsty no le prestó atención. Tenía los ojos fijos en los de Lascelles.

—Usted es Danny Lascelles.

—Sí —contestó él—. ¿Qué pasa?

—Soy Kirsty Haywood.

Él asintió con una mirada irónica, alzó su vaso y le dedicó un brindis. Ella se inclinó hacia adelante.

—La madre de Garret Haywood.

Por un instante Lascelles no comprendió, pero de repente su sonrisa se desvaneció. Puso el vaso sobre la mesa.

—Ya —dijo después de una pausa—. El chico que se ahogó.

—Lascelles, usted sabe tan bien como yo que Garret está vivo.

Lascelles era jugador de póquer, su mirada se volvió inexpresiva tras un instante de titubeo.

—¿Está vivo? —murmuró, y echó una mirada al hombre sentado a su lado, que a su vez miraba a Kirsty con una expresión extraña.

—¿Qué quiere decir?

Kirsty lo señaló con el dedo y alzó levemente la voz.

—Usted sabe dónde está. Dígamelo.

Lascelles se reclinó en la silla, que crujió bajo el peso de su cuerpo.

—¿Cómo lo sabe? ¿Cómo sabe que está vivo?

—No es asunto suyo.

—¿Cómo lo sabe? —repitió, esta vez en tono agresivo, y ante la falta de respuesta sonrió, y nuevamente miró al hombre de al lado.

—Vaya, se guía por intuición —dijo—. El famoso instinto materno. Es muy común. Lo lamento, señora Haywood, pero el chico murió. —Señaló al hombre a su derecha—. Carlo es testigo. Fue una tormenta muy fuerte. Un lamentable accidente; cosas que pasan. Lo buscamos tres días. ¿No es así, Carlo?

El portugués asintió sombríamente:

—Sí. Muy mal tiempo. Lo siento, señora. Era un buen chico.

Los dos asentían al unísono, pero la expresión de Lascelles era una mueca burlona.

Kirsty alzó el dedo otra vez y apuntó a la muñeca de Lascelles.

—¿Cómo consiguió ese reloj?

Los ojos de Lascelles se posaron primero en el reloj y después en la baraja.

—Lo gané jugando al póquer.

—Es de Garret —replicó ella bruscamente.

—Es verdad —asintió—. Se lo gané al póquer.

Kirsty sacudió la cabeza con fuerza.

—Él nunca se lo jugaría al póquer. Es su mayor tesoro, un recuerdo de su padre.

Lascelles se encogió de hombros.

—Había perdido mucho y quiso salirse de la partida. Pero las deudas de juego son sagradas.

—¡Mentira!

Bruscamente la expresión de Lascelles se transformó, la mandíbula se crispó y la boca se torció en una mueca furiosa.

—Dé gracias a Dios que es mujer —gruñó—. ¡Si un hombre me llama mentiroso le parto la cabeza!

Cady dio un paso adelante y dijo lentamente:

—Está mintiendo, Lascelles. Y le aclaro que no soy mujer, por si aún no se ha dado cuenta.

Bruscamente, Kirsty dejó de existir para los demás. Los preliminares de la pelea fueron casi rituales, como una danza guerrera. Cady miró a los otros cuatro y preguntó:

—¿Están con usted?

—Nadie pelea por mí —dijo Lascelles con desdén—. No lo necesito.

Bajaron, atravesaron el bar y salieron a la luz del día. Kirsty cogió el brazo de Cady y susurró, temblorosa:

—Cady, no lo hagas. Es inútil.

Él la apartó a un lado. Tenía el rostro crispado y caminaba rígidamente, igual que Lascelles.

Se detuvieron en el centro del aparcamiento, rodeados por los demás. Carlo se paró junto a Kirsty, con mirada expectante.

Estaban a dos metros de distancia, uno del otro, Lascelles sonreía.

—Sin camisa —dijo.

Cady asintió y señaló los dedos de Lascelles:

—Y sin anillos.

—Claro.

Cady comenzó a desabrocharse la camisa y Lascelles empezó a quitarse su único anillo de la mano izquierda.

—Toma, Carlo —dijo, y dio un salto hacia adelante.

Cady alzó la vista pero ya era tarde. El puño derecho de Lascelles se estrelló en su mandíbula.

Fue el golpe decisivo. Los ojos de Cady se nublaron y trató de aferrarse al cuerpo de Lascelles pero éste dio un paso hacia un lado y lo castigó en los flancos, dejándole sin aire. Después, con una sonrisa, empezó a golpear a Cady arriba y abajo, como si fuera un saco de arena. Cuando lo derribó se dedicó a patearle las costillas.

12

—La rueda dentada está lista —dijo Nelson con satisfacción. Dio un largo trago de cerveza y dejó la botella sobre la mesa.

Ramesh y Lani murmuraron palabras de agradecimiento. Ocupaban una mesa en la terraza del hotel Northolme. Kirsty estaba en el otro extremo.

—Ha hecho un buen trabajo, señor —dijo Lani con una sonrisa encantadora. Había cautivado a Nelson, que era uno de esos hombres que muestran lo mejor de sí en presencia de una hermosa mujer. Habitualmente hosco, se mostraba ahora ingenioso y chispeante.

—Ya lo creo, muchacha. Como transformar a una mujer vieja y reumática en... en una chica como tú.

Lani sonrió con picardía.

—Cuando sea una vieja reumática vendré a verle.

Nelson se sonrojó, pero enseguida volvió a sonreír:

—Eso es, guapa. Te cambiaré el engranaje y la cadena y te pondré el distribuidor a punto.

—Quisiera ayudarte, Jack —interrumpió Ramesh—. Me molesta estar mirando, sin poder hacer nada.

—No te preocupes —dijo Nelson para consolarle—. Algunos se entienden mejor con los motores que otros. En la Marina hubieras sido un buen oficial de cubierta. Por lo menos, ahora sabes cómo funciona.

—Así es —asintió Ramesh con entusiasmo—. He aprendido mucho estos días.

Nelson pidió una nueva ronda y se acomodó en el sillón de bambú. Evidentemente, lo estaba pasando bien. De vez en cuando miraba a la mujer solitaria, en el otro extremo de la terraza.

—En una semana, más o menos, podremos probarlo. Después voy a desmontar la bomba del agua... todos los aparatos mecánicos.

Ramesh iba a darle las gracias, cuando una mujer robusta puso un vaso sobre la mesa y se sentó en la silla vacía.

—Qué tal, Jack. Les haré compañía unos minutos, mientras Fiona alimenta a sus peces.

Nelson presentó a Joan White, la propietaria del hotel, la puso al tanto de la odisea y le preguntó cómo iba el negocio.

—Poca gente —dijo, encogiéndose de hombros—. Lo habitual en esta época del año. Sólo dos del *Haryana*. Uno está en el hospital.

—¿Qué ha pasado?

—Vete a saber. Una mujer y un joven. Dejaron sus cosas y se fueron en un taxi a esa pocilga, al Trianon. Lascelles estaba allí y le dio una paliza al chico.

Nelson murmuró una obscenidad.

—Este Lascelles es más peligroso que una bomba de relojería. ¿Aquélla es la mujer? —preguntó, señalando con un movimiento de cabeza a Kirsty.

—Norteamericana —asintió Joan—. Él es canadiense. Un tío grandote, muy atractivo. Parece ser que se conocieron en el barco.

Ramesh y Lani se giraron para mirarla.

—Qué cara tan triste —dijo Ramesh.

—Así es —asintió Joan—. Alquilaron habitaciones separadas. Oye, Jack, ¿por qué no la invitas a cenar con vosotros? —Guiñó el ojo—. Un hombre tan encantador como tú le levantará el ánimo.

Nelson dudó, pero Lani dijo:

—¡Sí, vamos, Jack! La hará reír un rato.

En aquel momento pasó una joven regordeta con una bandeja.

—Vamos —dijo Jack—. Éste es un rito que vale la pena contemplar.

Se unieron a los demás en la baranda de la terraza. Unos diez metros más abajo había un pequeña cala. Una luz bajo el agua iluminaba el fondo arenoso. Peces multicolores nadaban alrededor de la luz. Algunos median pocos centímetros, otros medio metro o más. La muchacha regordeta apareció en la playa. Iba descalza y llevaba el sarong rojo alzado hasta las caderas. Entró en el agua hasta que le cubrió las rodillas, cogió algo de la bandeja y lo sumergió. Uno de los peces más grandes se acercó y lo agarró suavemente de su mano. Lani rió, encantada, y aplaudió. La muchacha dio de comer a los peces durante diez minutos; espantaba a los más grandes para que los pequeños pudieran tener su ración.

Nelson oyó la exclamación de la mujer norteamericana y se giró para mirarla:

—Joan no permite que nadie pesque en la cala. —Señaló a la muchacha—: Es Fiona, su hija. Alimenta a los peces desde que era una niña.

Kirsty estaba encantada con el espectáculo; había olvidado sus preocupaciones por unos instantes. Cuando la muchacha salió del agua, Jack añadió:

—Me han contado lo de su amigo. Lo lamento mucho. ¿Está herido?

—El médico dice que se repondrá —replicó Kirsty, con el rostro ensombrecido.

—¿Quién es el médico?

—O'Reilly.

—Es buen médico —dijo Nelson en tono tranquilizador—. Bebe un poco, pero todos lo hacen. —Hizo una pausa—. Usted está sola, ¿por qué no cena con nosotros? Mis amigos son gente interesante... tal vez se distraiga un poco.

Jack Nelson no era un hombre atractivo ni encantador, pero su ruda franqueza impresionaba a la gente. La mujer vaciló un instante y asintió.

—Con mucho gusto.

—Perfecto. Me llamo Jack Nelson.

—Kirsty Haywood.

Cinco minutos más tarde estaban sentados en una mesa de la terraza comedor. Jack orientó la conversación hacia las aventuras de Ramesh y Lani, para ayudarle a olvidar el incidente de la tarde. Kirsty escuchaba amablemente, pero era evidente que su mente estaba en otra parte. Ramesh lo percibía con claridad. Sentado frente a ella, escrutaba su rostro con disimulo. Cuando ella levantaba los ojos, él desviaba los suyos, turbado. Pero a los pocos minutos estaba mirándola otra vez, cautivado. ¿Qué le interesaba de aquella mujer que no había abierto la boca? Entonces, bruscamente comprendió, y se sintió turbado. Era atracción física. ¡La mujer lo atraía físicamente! Estaba confundido. Sabía apreciar la belleza, pero en abstracto, intelectualmente. En cambio, aquella mujer despertaba sus sentidos. ¿Por qué? ¿Por su belleza y nada más? Estudió su rostro. Labios carnosos. Pómulos altos. La suave curva del cuello. Sí, era hermosa, pero había algo más. Lani también lo era, pero en un sentido convencional. Había algo más, seguramente. Quedó absorto en sus pensamientos y tardó un buen rato en percibir que también ella lo miraba. Ramesh carraspeó y apartó los ojos.

La comida consistía en una serie de platos de pescado preparado a la usanza nativa. Mientras comían, y Jack era el centro de atención, la velada transcurrió plácidamente.

Pero los silencios se fueron haciendo más pesados y la expresión de Kirsty más melancólica. Ramesh y Lani trataron de animarla, pero sin mucho éxito. A falta de otro tema Ramesh orientó la conversación hacia las hazañas de Jack en la Marina, y éste, inducido hábilmente por Lani, recordó algunos episodios divertidos. De pronto a Lani se le ocurrió preguntar, con una sonrisa insolente:

—Jack, ¿usted nunca hizo nada mal? ¿Nunca cometió un error?

Jack contempló aquel rostro armonioso y bello por unos instantes, y su expresión se tornó sombría. Era la primera vez en su vida que aceptaba hablar de eso, y no sabía bien por qué. Tal vez lo indujo la melancolía de la mujer sentada a su lado, o la conciencia de que no le quedaba mucho tiempo de vida.

Había sucedido a principios de la guerra. Él estaba en un dragaminas en una base en Escocia. Volvió de permiso con una tremenda borrachera y lo mandaron a reparar los motores de la nave. Trabajó mal, debido a las náuseas y el dolor de cabeza. Aquella noche la nave tuvo que cumplir una misión. El viento era muy fuerte. Debía dragar una zona frente a la costa oriental de las islas Orkney. Una misión difícil y peligrosa, para colmo a sotavento de la costa, y al amanecer la nave sufrió las consecuencias. Los filtros del aceite estaban mal ajustados, y los motores se averiaron, uno tras otro.

El viento los llevó hasta la costa, bajo los acantilados de Stronsay, y allí se ahogaron cuatro marineros. Se salvó de ir a consejo de guerra porque el dragaminas era muy viejo y sus motores estaban en mal estado, sin embargo Jack siempre supo que la culpa fue suya.

—Pero seguramente —comentó Ramesh— has salvado muchas más vidas que las que se perdieron en ese accidente.

—Es posible —asintió Jack—, pero te diré una cosa. Aunque sucedió hace más de veinte años, el recuerdo me persigue.

Kirsty, que había mantenido los ojos clavados en el mantel, contempló a Jack un instante. Su expresión era más animada.

132

—Eso es —dijo. Tamborileó los dedos de la mano derecha sobre la mesa—. Lo perseguiré hasta saber la verdad.

Descubrió las miradas perplejas de los otros y sonrió con tristeza.

—Lo siento, discúlpenme. Ustedes han sido muy amables. Pero tengo un problema muy grave. Y creo que les debo una explicación.

Miró a Nelson, luego a Lani y finalmente a Ramesh. Lo miró largamente a los ojos, y aunque se dirigió a Nelson, Ramesh tuvo la certeza de que le hablaba a él en particular.

—Quiero contarles algo. Últimamente me cuesta hablar de esto, pero hoy lo haré. Pidamos los cafés.

Pidieron café y coñac y ella les contó, breve y sintéticamente, el motivo de su viaje a las Seychelles.

El único que interrumpió el monólogo fue Nelson, en dos ocasiones. La primera fue cuando Kirsty mencionó que Lascelles había asegurado estar tres días buscando a Garret:

—¡Ese desgraciado no dedicaría ni tres horas a buscar a su propio hijo!

La segunda, cuando Kirsty contó cómo le había devuelto Lascelles el reloj de Garret, Nelson sacudió la cabeza con fuerza:

—Jamás devolvería algo que ha ganado jugando al póquer.

Kirsty había hablado con elocuencia, pero sin emoción, hasta que llegó al incidente del Trianon. Su voz se volvió temblorosa al describir la paliza que sufrió Cady.

—¿Qué significa que lo perseguirá? —preguntó Lani.

—Significa que lo seguiré a donde vaya. Cada vez que se dé la vuelta, me verá vigilándolo. —Y añadió con furia—. Lo seguiré hasta doblegarlo y obligarlo a decirme la verdad.

Hubo una pausa, y Nelson habló con cierta timidez.

—No le será fácil. Mañana se va con un grupo de ornitólogos a la isla Bird. Son más de mil kilómetros. Después los llevará a Mombasa. Tardará varios meses en volver.

—No importa —replicó Kirsty sin vacilar—. Encontraré la forma de seguirlo. Quisiera alquilar un barco, pero no tengo mucho dinero.

—En Praslin hay un italiano que tiene un yate a motor. Lo alquila a los pescadores por cien dólares diarios —dijo Nelson.

Ella negó con la cabeza.

—Entonces sólo quedan las goletas que recorren las islas. Sus dueños son de aquí, pero me parece que cobran mucho. Preguntaremos mañana por la mañana. Hay algunos botes de pesca, pero no aguantarían semejante travesía.

Ramesh se sintió sacudido por un espasmo. Miró el rostro de Kirsty y supo qué estaba pensando. A pesar de la mirada inexpresiva de ella, supo cuáles eran los pensamientos que se agitaban en su mente.

Sintió su angustia y su frustración. Su corazón latió con fuerza cuando se inclinó sobre la mesa y le dijo, muy serenamente:

—Señora Haywood, como usted ya sabe tengo un barco. Me gustaría conocer esas islas antes de dirigirme a Mombasa. —Se volvió hacia Lani—: ¿Qué te parece?

Ella asintió con entusiasmo. Nelson y Kirsty les miraron, perplejos.

—No comprendo, señor Patel. Acabamos de conocernos...

—Esto no tiene importancia —dijo, y miró a Nelson—. Conocí a Jack ayer, lo insulté y... me ha ayudado. —Se detuvo un instante y agregó—: Mi vida ha cambiado. Imagínese, qué tontería que un hombre como yo tenga la idea romántica de dar la vuelta al

134

mundo en un velero. En el fondo sólo busco una aventura... Tal vez el destino nos ha reunido, señora Haywood.

—No sé qué decir... —murmuró Kirsty, y giró la cabeza para que no vieran sus lágrimas. Lani le cogió la mano. Nelson tosió y le pasó un pañuelo blanco y muy limpio.

—Buena tripulación —gruñó—. Un inglés de la India, una china de Sumatra y una norteamericana... y saben tanto de navegación como un monje tibetano. ¿Y qué pasará con el muchacho canadiense?

—No lo sé —dijo Kirsty, secándose los ojos—. Lo veré mañana. Después de todo lo que ha sucedido, seguramente querrá irse por su cuenta.

Nelson se volvió hacia Ramesh.

—No quiero desalentarte, pero debes valorar los peligros. Lascelles es peligroso, lo mismo que Carlo, su segundo. Dicen que se conocieron hace un par de años, en una pelea. Ninguno pudo vencer al otro. Fue la primera vez que Lascelles no ganaba una pelea... La cosa es que lo contrató y desde entonces van juntos. Buen par de hijos de puta, los dos.

Ramesh se encogió de hombros.

—No creo que se ponga violento en presencia de testigos. Dices que llevará a unos ornitólogos...

—¿Qué es eso? —preguntó Lani.

—Gente que estudia a las aves —dijo Nelson—. Hay especies muy raras en estas islas. Ramesh, deberás tener mucho cuidado. En las islas más alejadas no hay ley que valga. —Miró su reloj—. Tomamos una última copa y nos vamos a dormir.

Kirsty no podía dormir. Tendida en la cama, escuchaba el sonido de las olas en la cala, bajo la ventana. Su mente era un torbellino de imágenes. El cuerpo de Cady tirado en el suelo. La risa triunfal de Lascelles.

Las interminables anécdotas de Nelson. La brusca angustia que sintió al comprender que no tenía los recursos necesarios para seguir a Lascelles por las islas. Y por último Ramesh. Cómo la miraba con sus claros ojos pardos. Parecía incómodo durante la cena, sus ojos no se mantenían fijos en ningún lugar. Habló muy poco. ¿Qué clase de hombre era? Un idealista anglohindú, acompañado por una hermosa muchacha asiática. ¿Serían amantes? Difícilmente. ¿Y la forma en que le ofreció su barco para perseguir a Lascelles? Había algo en él que le recordaba a Kevin. Sin embargo, eran personalidades opuestas. No mostraba ni un atisbo de la fuerza y el carácter de Kevin.

Tendido en su litera en el *Manasa*, Ramesh tampoco podía dormir. ¿Por qué se había ofrecido? Cuando Kirsty se retiró, Nelson le había hablado del peligro que significaba perseguir a Lascelles. No quería desalentarlo, pero el honor le exigía ser claro con su amigo.

Pero su preocupación mayor no era lo que había dicho Nelson sobre Lascelles, sino la manera en que le había ofrecido su barco a aquella mujer.

13

Kirsty oyó un vozarrón en el pasillo, a treinta metros de su cuarto.

—¡No voy a admitir que un irlandés borracho me dé ordenes!

Kirsty se levantó y fue hasta la puerta a tiempo para oír la réplica de O'Reilly:

—¡Vuelva a la cama, orangután!

Abrió la puerta del cuarto contiguo. De pie junto a la cama, O'Reilly y Cady se miraban furiosos. Los ojos de Cady estaban hundidos en pliegues de piel amoratada. Toda su cara estaba cubierta de moretones y heridas, y tenía la boca hinchada. Llevaba sus vaqueros gastados, y el torso descubierto, dejando a la vista las vendas que le protegían las costillas fisuradas.

Ambos se giraron para mirarla.

—A ver si puede convencerle —dijo O'Reilly. Miró a Cady con desdén y salió dando un portazo.

—¿Qué diablos pasa, Cady?

—¡No soporto estar en el hospital! Ya estoy bien. Este irlandés bebedor de whisky no entiende nada de nada. —Su voz era casi ininteligible, debido a la hinchazón de los labios.

—¿Por qué no te miras en el espejo?

Cady trató de sonreír pero sólo consiguió hacer una mueca.

—Sí, lo sé, no estoy muy atractivo que digamos, pero no me sirve de nada quedarme acostado en la cama. Lo mejor es mantenerse en movimiento. En una semana saldré en busca de ese Lascelles. ¡Ya veremos cómo se las arregla en el segundo asalto!

—¡Dios mío, Cady! —suspiró ella—. Después de semejante paliza todavía quieres más. Vamos, siéntate. Tenemos que hablar.

Cady negó con la cabeza y señaló la cama.

—Siéntate tú, Kirsty. Quiero decirte un par de cosas.

Se puso la camisa con esfuerzo, mientras ella se encogía de hombros y se sentaba en el borde de la cama.

—Déjame hablar sin interrumpirme. No es la peor paliza que he recibido. La primera fue cuando tenía dieciocho años, en Toronto. Me la dieron unos tíos de una pandilla de motociclistas. Un mes en el hospital. La segunda fue hace un par de años. Trabajaba en un campo petrolífero, el cocinero era un escocés veterano y bastante esmirriado. Su comida era horrible y un día le dije que le obligaría a tragar su propio guiso. Resultó que el tipo había sido boxeador profesional e instructor de defensa personal en la infantería de marina. —Cady sacudió la cabeza al recordar el incidente—. Otra temporada en el hospital, los dos brazos rotos. Pero aprendí la lección. Cuando volví al campo, le di la mitad de mi sueldo durante tres meses y todos los días durante varias horas me enseñó a pelear. Desde entonces nunca he tenido problemas. El problema es que ayer me descuidé, y pagué por ese error. —Cogió aliento—: Lo que debes comprender, Kirsty, es que Lascelles no es más que un buscavidas callejero. Es fuerte, sí... pero me venció porque cometí un error. Le quité los ojos de encima durante medio segundo, en el momento justo. Luego no pude hacer otra cosa que intentar evitar los peores golpes. Pero no volverá a pasar. Dentro de una semana...

—No, ha zarpado esta mañana. Siéntate, Cady. Te pondré al corriente.

Se sentó y ella le relató todos los sucesos, a partir del momento en que la mirada de Lascelles le confirmó definitivamente que Garret estaba vivo. Sintió una oleada de confianza cuando Cady le dijo que también había percibido esa mirada. Le habló sobre Nelson, Ramesh y Lani y el plan de perseguir a Lascelles. Sacudió la cabeza cuando él sugirió que lo mejor sería arrancarle la verdad a golpes. No serviría: una simple paliza no lograría que Lascelles confesase. Pero sabía que podía doblegarle si le perseguía. No era una cuestión de lógica. Toda su búsqueda era pura intuición. Le dijo que tardarían dos meses, tal vez más, en llegar a Mombasa. Tal vez él preferiría irse de pesca, el *State of Haryana* volvería a las Seychelles dentro de tres semanas.

Cady atravesó el cuarto, se sentó a su lado y le cogió la mano.

—Nada de eso. Kirsty. Me quedo contigo... si me lo permites. Me quedan todavía cinco mil dólares, y no tengo prisa por buscar trabajo. —Le apretó la mano—. Quiero estar contigo si Lascelles se pone duro.

Hubo una larga pausa.

—Hay algo que me preocupa, Cady —dijo ella por fin—. Quiero ser muy franca contigo. Si no, me sentiré muy mal. —Hizo una pausa para escoger cuidadosamente sus palabras—. Somos amigos. Buenos amigos. Te quiero mucho y te agradezco lo que has hecho y tratado de hacer... Pero debes entender que no estoy dispuesta a que nos convirtamos en amantes...

—Kirsty...

—No, déjame hablar. Estas cosas siempre conviene decirlas antes. No quiero que pierdas tu tiempo y tu dinero. Lo único que me importa por ahora es encontrar a Garret. Nada más. En este momento no me siento capaz de amar a nadie. Tal vez nunca recupere la capacidad de amar.

En el mismo momento en que lo dijo, sintió la duda. Recordó las furtivas miradas de Ramesh, la noche anterior.

Cady asintió. Sus ojos morados se entrecerraron. Le cogió ambas manos.

—Muy bien, señora, ahora me toca hablar a mí. Y que sea la última vez que hablamos de esto. Lo que dices es cierto, y me alegra que lo hayas dicho con tanta claridad. Pero debes saber que no vivo con la idea fija de bajarte las bragas. ¿Entendido? Sé que en el barco te dije que me atraen las mujeres mayores que yo, y no hay duda de que eres muy hermosa. Pero me gusta que seas mi amiga. Nunca he sido amigo de una mujer, y valoro esto que nos une. Si apareciera el sexo, se acabaría nuestra amistad. Los dos lo sabemos muy bien. Estoy contigo por amistad, pura y simplemente.

—De acuerdo —musitó Kirsty—. Pero te pediré una cosa. Quédate en el hospital un par de días. Hazlo por mí...

—No es necesario. Estoy bien. Descansaré en el hotel y cuando pueda comenzaré a nadar todas las mañanas y a ayudar a Nelson con el motor.

A la mañana siguiente, cuando estaba limando los dientes del engranaje, Nelson vio una sombra sobre la mesa del taller. Alzó la vista y al ver al hombre en la puerta, sonrió.

—No hace falta que te presentes... Supongo que eres el canadiense.

—El mismo.

Se estrecharon las manos.

—Si te paseas con esta pinta, aterrorizarás a los niños.

—Y a las mujeres. —Cady se encogió de hombros y contempló los objetos esparcidos sobre la mesa. Cogió una cadena de distribuidor.

140

—¡Diablos, debe de ser más vieja que yo!

—Probablemente —dijo Jack—. ¿Entiendes algo de motores?

—Bastante. Me he pasado la vida en talleres y pozos de petroleo. —Miró la rueda de engranaje en el torno—. Dime en qué puedo ayudarte.

Nelson sacó un pañuelo del bolsillo y se secó el sudor de la cara. Encendió un cigarrillo y exhaló una nube de humo.

—Mientras termino con la rueda, podrías rectificar el cigüeñal y una biela, y luego limpiar y cambiarle el revestimiento a un par de válvulas.

—De acuerdo.

Cady echó una ojeada alrededor del taller, bien provisto de herramientas. Había otro banco de trabajo con un torno. Cogió una serie de herramientas, colgadas ordenadamente en la pared, las puso sobre el banco y se sacó la camisa. Nelson hizo una mueca al ver los moretones y el vendaje.

—¿Estás en condiciones de trabajar?

—Oh, basta de eso —dijo Cady con fastidio—. Ya he tenido bastante con los sermones de Kirsty y la señora White. ¡No soy un lisiado, cojones!

—Bueno, bueno. ¡Tampoco hay que tomárselo así!

Nelson volvió a su trabajo, dedicándole miradas furtivas al joven canadiense, pero al comprobar que sabía lo que hacía se concentró en lo suyo.

Trabajaron absortos y casi sin hablar durante dos horas, hasta que Jack miró su reloj y se acercó al banco de Cady. Inspeccionó una de las válvulas y gruñó con satisfacción.

—Tomemos un trago antes de comer.

Comerían con los demás en el *Manasa*. Mientras caminaban hacia el Club Náutico, Jack le explicó lo que había que hacer.

—Trabajando solo hubiera tardado siete u ocho días. Contigo lo haremos en la mitad de tiempo, tal

141

vez menos... Supongo que Kirsty estará ansiosa por salir en busca de Lascelles.

—No puede contenerse —asintió Cady—, pero Dios sabe lo que hará él cuando vea que lo estamos siguiendo. Tal vez acabe por confesar, pero lo dudo. —Suspiró—. El problema es que no hay alternativa. Kirsty tiene razón: no hay forma de obligarlo por la fuerza.

Jack lo miró de reojo.

—¿Crees que el chico está vivo?

—Sí —replicó Cady sin vacilar—. Yo también vi la mirada de Lascelles en el Trianon. Pero hay algo más. Creí a Kirsty desde el primer momento, cuando me contó la historia en el barco. No sé por qué. Su optimismo es tan contagioso.

—Es una mujer extraordinaria —dijo Jack con cierta melancolía, y Cady sonrió y asintió.

—Ya lo creo.

Kirsty y Ramesh estaban en el Club Náutico, hablando con un hombre pelirrojo de unos treinta y cinco años de edad.

Kirsty los presentó. El otro hombre se llamaba Bruce McDonald.

Jack pidió una cerveza y preguntó por Lani.

—Está preparando la comida —dijo Kirsty—. Va a ser algo especial. Encontró una tienda de comida china. Después fue al mercado a comprar pescado y nos echó a Ramesh y a mí del barco. Dijo que no volviéramos antes de la una.

—Es una buena chica —dijo Jack, y suspiró—. Hace años que no como verdadera comida china. —Se giró hacia el pelirrojo—. ¿Cómo va tu barco, Bruce?

—Sin prisa pero sin pausa, Jack.

Jack bebió un trago de cerveza.

—A ver si esta vez mantienes los ojos bien abiertos, muchacho —dijo con seriedad. Se volvió hacia los otros para explicar—: Bruce está construyendo su

142

propio barco en La Digue, la isla junto a Praslin. Lo ha empezado por tercera vez, porque ya en dos ocasiones algún hijo de puta se lo ha incendiado justo cuando estaba a punto de terminarlo.

—¿Por qué? —preguntó Cady.

—¿Quién puede saberlo? —replicó McDonald, encogiéndose de hombros—. Tal vez alguien que me odia, pero no sé quién.

—Venga a comer con nosotros —dijo Ramesh—. Estoy seguro de que habrá suficiente para todos.

McDonald rechazó la invitación. Sólo había venido a comprar unas piezas y debía volver lo antes posible.

—Qué tragedia... y qué paciencia —dijo Kirsty cuando McDonald se fue—. Pero no puedo creer que no se sepa quién es el culpable, si la isla es tan pequeña.

—Kirsty —dijo Jack—, en La Digue viven alrededor de mil personas, y nadie ignora quién ha sido. Como no lo ignoramos en Mahe y las demás islas.

—¿Y entonces?

Jack le contó la historia.

Bruce McDonald había llegado a las islas hacía un par de años, formando parte de la tripulación de un barco francés. Le había encantado el lugar, sobre todo La Digue, una isla absolutamente virgen que ni siquiera tenía un hotel. Pocos meses más tarde recibió una cuantiosa herencia. Decidió instalarse en La Digue para construir una goleta de quince metros, empleando los métodos tradicionales y la madera local: *takamaka firao*.

Nelson le contó a su fascinado auditorio cómo McDonald se instaló en la isla, arrendó una parcela de tierra en la playa por unas pocas rupias, construyó una cabaña con techo de paja a pocos metros de la orilla y junto a ella un tinglado que le sirviera de cobertizo. Con la ayuda de un hombre de más de setenta años, que había construido más de una docena de goletas, escogió los árboles, los taló y serró a mano, a la manera tradicional. Calculó que tardaría dos años en construir su barco y se hizo un estricto plan de trabajo: se levantaba al amanecer y trabajaba hasta que el calor le obligaba a descansar. Luego iba a nadar, pescaba un par de peces para el almuerzo, dormía una siesta. Por la tarde trabajaba hasta que caía el sol.

Poco a poco se granjeó la amistad de los nativos. Era el único extranjero, y al verlo trabajar con tanta dedicación le fueron tomando cariño. Por las noches iba al almacén, que también tenía un pequeño bar, y bebía con los nativos. Se acostumbró al *calou*, la bebida local, producto de la fermentación de la savia de palmera, una bebida dulzona y fuerte.

Las mujeres le preparaban la comida, los niños iban a verlo trabajar y escuchaban sus historias sobre países lejanos.

Los sábados por la noche había fiestas en el almacén. Le enseñaron a bailar el *sega*, la danza ondulante y sensual de la isla. McDonald descubrió que los nativos practicaban el amor libre. Aunque la población se decía católica, más de la mitad de los niños eran ilegítimos. Los isleños no tenían prejuicios en absoluto. Si una joven soltera tenía un hijo, éste era criado por la abuela materna y no existía el menor conflicto social.

McDonald descubrió su paraíso. Era feliz trabajando, nadando y cocinando lo que pescaba, y prácticamente no había semana en que alguna belleza local no se le insinuara con naturalidad mientras bailaban el *sega*. Salían a la playa a hacer el amor y luego volvían a bailar y beber *calou*. Todos sabían dónde habían estado, pero a nadie le importaba.

Los dos años transcurrieron rápidamente, la goleta iba tomando forma y se acercaba el momento de instalar el motor y botarla a las aguas cristalinas de la bahía. Los isleños prepararon una gran fiesta.

Entonces sobrevino la tragedia. Un domingo, al amanecer, la isla entera se despertó alarmada a causa del incendio de la goleta.

La cabaña y el cobertizo se hallaban a trescientos metros del agua, y cuando por fin se organizó una cadena de hombres para sacar agua del mar, ya era tarde. La goleta ardía de la proa a la popa, y sólo lograron salvar sus restos ennegrecidos.

Los isleños, tan abrumados por el dolor como McDonald, pensaron que habría sido un accidente, pero el viejo constructor nativo revisó los restos y dijo que el incendio había sido premeditado. Se había iniciado en tres lugares distintos, y la velocidad de su propagación, así como el estado de la madera, indicaban que se había usado algún combustible.

Las investigaciones resultaron vanas. Llegaron a la conclusión de que el incendiario debía de ser algún joven celoso de la popularidad de McDonald entre las muchachas.

McDonald anunció que volvería a empezar. Así lo hizo; y aquella vida paradisiaca se prolongó dos años más.

Pero los isleños tomaron precauciones. Cuando se acercaba el día de la botadura, sin decirle nada a McDonald, organizaron una guardia nocturna. Poco antes de la fiesta la goleta se incendió. Los isleños que montaban guardia habían visto a McDonald iniciar el incendio, con los ojos llenos de lágrimas; Jack suspiró y miró a lo lejos.

—¡No quería irse de la isla! —exclamó Cady.

—Exactamente. Pensaba que, una vez terminado el barco, debería partir.

—¿Y qué pasó? —preguntó Ramesh—. ¿Se lo dijeron?

—De ninguna manera —dijo Jack, con una sonrisa cómplice—. Le siguieron el juego. Cuando anunció que volvería a empezar, le expresaron su admiración. Le quieren demasiado y comprenden el ritual.

—Qué hermoso —dijo Kirsty, pensativa—. ¿Seguirá construyendo barcos para incendiarlos después?

—¿Por qué no? Tiene dinero de sobra para vivir... y comprar madera. Lo más probable es que termine por casarse con alguna de esas chicas y tenga una familia legítima. Ya ha reconocido a dos hijos...

14

Cuando la caña se arqueó, Cady empezó a recoger el sedal, con la vista clavada en el agua cristalina. Vio el destello de colores a varias brazas de profundidad y gritó con satisfacción. Joan White le había prestado la caña una hora antes y le había indicado cómo llegar hasta aquel acantilado a un kilómetro del hotel, y él prometió proveer la cena para los ocho huéspedes. Le habían exigido severamente que no debía pescar a menos de trescientos metros de distancia del hotel.

Recogió el sedal y agarró el salabre que tenía a su lado. Momentos más tarde el pez yacía en la cesta de mimbre, junto a otros cinco. Calculó que habría unos diez kilos de pescado: más que suficiente.

Dejó la caña a su lado y se recostó. Era un lugar solitario, alejado del camino de la costa. A lo lejos se veía la isla La Digue, a poco más de treinta kilómetros. Recordó la historia de Bruce McDonald y se dijo que lo comprendía; debió reconocer con tristeza que le costaba más entender su propia actitud.

Siempre le habían atraído las mujeres maduras. A diferencia de muchos de sus amigos, no daba una importancia vital a la belleza física. Si la mujer era hermosa tanto mejor, pero no era lo más importante. Kirsty era hermosa, indudablemente, pero esto no era lo que la hacía cada vez más atractiva a sus ojos. Al principio pensaba que quizá, con el tiempo, llegaran a ser amantes: era un proceso natural, casi lógico. Pero la situación había cambiado después de la conversación en el hospital, para su confusión y alivio. Serían sólo buenos amigos.

Aquel día, por primera vez, había experimentado una verdadera sacudida ante la belleza de una mujer. Fue en el momento de abordar el *Manasa*. Lani estaba en cubierta, y al verla quedó paralizado, con un pie en el muelle y el otro en la planchada. Kirsty, Ramesh y Jack se habían adelantado y no vieron su azoramiento. En sus viajes por Indonesia, Hong Kong, Bangkok y Singapur, Cady había conocido a bellísimas muchachas orientales, pero ninguna lo había afectado así.

La reacción de ella había sido diferente. Retrocedió impresionada al ver la cara de Cady deformada por los golpes.

La comida había sido exquisita. Pescado, verduras, pollo y arroz, suavemente sazonados. Comieron con cuchillo y tenedor, porque Lani pensaba que era absurdo comer con palillos y tosca vajilla occidental. Cady preguntó si en la tienda tenían loza china. Ella respondió que sí, pero que era muy cara.

Cady se volvió hacia Ramesh:

—Voy a comprar un juego para el barco. Semejante comida lo merece.

Ramesh miró su plato de plástico rayado.

—Gracias, Cady. Acepto con mucho gusto.

—Algo más —dijo Cady con firmeza—. Kirsty dice que no nos cobrarás por el viaje. En aquel momento ella no sabía si yo vendría o no. No tengo mucho dinero, pero algo puedo pagar, y lo haré.

Ramesh sonrió.

—No será necesario. No voy a apartarme de mi ruta inicial, y además me gustaría tenerte a bordo para ayudarme con el motor. Es un buen mecánico, ¿verdad, Jack?

—De primera —dijo Jack, con la boca llena.

—Está bien —dijo Cady—. Si no aceptas que pague por el viaje, compraré las provisiones y el combustible y me haré cargo de cualquier gasto que surja.

—Haremos un fondo común —propuso Kirsty, pero Cady negó con la cabeza.

—Nada de eso. Guarda tu dinero. Estamos metidos en un asunto serio, lo sé, pero esto es casi una fiesta para mí. Me fascina navegar y pescar. —Señaló la mesa cubierta de platos—. Y comer de primera... Unas vacaciones como éstas cuestan una fortuna, así que al menos dejadme pagar los gastos.

Miró con fingida severidad a Ramesh, y éste a Nelson que dijo:

—Es justo, Ramesh. Además, no habrá muchos gastos. Con semejante viento apenas usarás combustible. Y la mayor parte de la comida vendrá directamente del mar.

—Está bien —asintió Ramesh—. Te lo agradezco, Cady. —Pensó un instante y añadió—: ¿Por qué no os mudáis al barco ahora mismo? Así ahorraréis dinero y os acostumbraréis al alojamiento. Además estaréis más cerca del taller.

Después de discutirlo resolvieron permanecer una noche más en el Northolme. No querían ofender a Joan White, que había sido tan amable con ellos. Jack les aseguró que no se ofendería, pero decidieron quedarse aquella noche de todas maneras.

Después de la comida, Kirsty, Ramesh y Lani, salieron a recorrer la isla en coche, mientras Cady y Jack volvían al taller. Cuando llegó al hotel, Joan White le dijo que Kirsty todavía no había vuelto y le sugirió que fuera a pescar.

Cuando Cady regresó al hotel, Joan leía una revista en la cocina. Le mostró el contenido de la cesta.

—Te felicito, Cady. Fiona está en el bar, charlando con Kirsty. Dile que te sirva una copa, cortesía de la casa.

En el *Manasa*, Ramesh estaba sentado cerca de la popa. Bebía una cerveza y contemplaba el atardecer. Esto se había convertido en un rito cotidiano. Nelson le había dicho que en algunas ocasiones, cuando se reunían ciertas condiciones atmosféricas, una franja de color verde brillante aparecía en el cielo en el momento que el sol se ponía detrás del horizonte. Los isleños la consideraban una buena señal. Todos los días, al atardecer, Ramesh salía a mirar, pero hasta el momento no había visto la franja verde, aunque las puestas de sol eran hermosas.

Lani preparaba la cena en la cocina, y una vez más Ramesh sintió una oleada de íntimo regocijo al pensar en su buena suerte. Luego volvió a preguntarse qué le habría llevado a ofrecer su ayuda a Kirsty. Después de todo, la vida con Lani antes del problema del motor había sido perfecta. Ahora serían cuatro, y aunque eran excelentes amigos ya no sería lo mismo. ¿Por qué lo había hecho? Era un hombre romántico por naturaleza, y la historia lo había conmovido, pero había algo más. Sabía que Kirsty Haywood lo afectaba de manera extraña, y temía analizar esa sensación.

15

—¡Aprieta el maldito botón de una vez! —gritó Jack.

—No —replicó Ramesh hablando hacia la escalera—. Sube y hazlo tú.

—¡No seas idiota! —dijo la voz ahogada de Jack, desde la sala de máquinas—. ¡Enciéndelo!

—De ninguna manera. Eso te corresponde a ti.

Ramesh miró a Kirsty y a Lani, y ambas asintieron con una sonrisa. Momentos más tarde, Jack subió jadeando por la escalera. Tenía el torso desnudo y sudaba copiosamente. Él y Cady habían trabajado durante cuatro horas, casi sin descanso, hasta montar el motor. Habían recargado la batería y llenado el depósito. Era el gran momento.

Ramesh estaba tranquilo. En realidad se sentía más preocupado por Jack que por él mismo. Cady le había contado que habían hecho todo lo posible, pero los motores eran "unos caprichosos hijos de puta, sobre todo cuando son viejos". Jack resopló mientras subía por la escalera. Parecía tranquilo y serio, pero nadie podía dejar de percibir la tensión subyacente.

Se secó la cara con el pañuelo y ocupó el lugar detrás del timón. Puso el pulgar sobre el botón de encendido.

—¿Listo? —gritó.

—¡Adelante! —dijo la voz de Cady, y Nelson apretó el botón.

Ramesh contuvo el aliento. El motor de arranque giró tres, cuatro, cinco veces.

Nelson murmuró, soltó el botón y giró la palanca del acelerador.

Volvió a apretar.

Fueron seis giros más hasta que el motor carraspeó una, dos veces y se puso en marcha con un rugido.

Entre aplausos y gritos de aclamación, Nelson soltó el acelerador. El ruido del motor era uniforme. Desde abajo se oyó la estruendosa voz de Cady:

—¡Suavecito como el culo de un bebé!

Ramesh palmeó la espalda sudorosa de Jack con fuerza, Kirsty y Lani lo abrazaron y besaron. Su falsa expresión de modestia resultaba cómica.

—Jack, no tengo palabras para agradecértelo —dijo Ramesh con emoción—. No sé qué sería de mí si no me hubieras ayudado.

Jack, complacido y avergonzado a la vez, hizo un gesto de falso fastidio con la mano.

—No es nada, Ramesh. Cady ha trabajado mucho, ha hecho más de la mitad.

—Nada de eso —dijo Cady, que subía por la escalera. Todavía tenía la cara y el torso cubiertos de moretones amarillentos—. Yo sólo he hecho el trabajo sencillo. —Miró a Ramesh y añadió con seriedad—: No soy mal mecánico, pero jamás hubiera podido hacer un trabajo como éste. Jack es un verdadero ingeniero, nunca he conocido otro mejor.

De repente Jack se giró y miró hacia el muelle.

—¿Qué pasa?

Dave Thomas y Jimmy, el camarero, venían por el muelle con una bandeja con copas y una heladera.

—Champagne —dijo Ramesh—. Le he pedido a Dave que lo trajera en cuanto oyera el ruido del motor.

Mientras llenaban las copas, Dave entregó un rollo de papeles a Ramesh.

—Son mapas del archipiélago, del servicio de cartografía del Almirantazgo. Aunque tengas otros, éstos te servirán porque los navegantes locales han señalado los arrecifes de coral y demás escollos. Envíamelos por correo cuando llegues a África.

Distribuidas las copas, todos miraron a Ramesh.

—Brindo por Jack y su excelente trabajo.

Todos bebieron excepto Jack, quien mantuvo alzada su copa.

—Por el *Manasa* —dijo y miró a Kirsty—. Que el viaje tenga éxito.

—¿Cuándo zarpas? —preguntó Dave a Ramesh después del brindis.

—Si todo va bien, mañana al amanecer. Con este viento llegaremos a la isla Bird cuando caiga la noche.

—Así es —dijo Jack—. Cady y yo retocaremos los últimos detalles esta tarde. Claro que es posible que el *Jaloud* ya haya partido hacia las Almirantes... —Pensó un instante—. Igual tenéis que ir a Bird. Guy Savy sabrá a dónde han ido.

—Además nos invitó a visitarle —dijo Kirsty—. Nos hicimos amigos en el barco.

—Entonces está resuelto —dijo Ramesh, y vació su copa—. Esta noche estáis todos invitados al Northolme. ¿Vendrás, Dave?

—Por supuesto. Joan pondrá el tocadiscos y bailaremos un rato. —Le guiñó un ojo a Lani—. ¿Sabes bailar el twist, jovencita?

Ella lo miró perpleja.

—No te preocupes —dijo Cady—. Yo te enseñaré. Jack, tiremos una moneda a ver quién arregla la bomba del agua y quién el desagüe.

—Nada de eso —dijo Jack con una sonrisa maliciosa—. Tú harás ambas cosas, mientras yo me ocupo del mecanismo de dirección y la instalación eléctrica.

—Ya me parecía —dijo Cady con una mueca de fingido enojo.

TERCERA PARTE

16

A lo lejos vieron algo parecido a un enorme enjambre de abejas a pocos metros de la costa rocosa.

—¿Serán pájaros de verdad? —preguntó Kirsty, asombrada.

—No puede ser otra cosa —dijo Cady—. Guy dice que entre mayo y septiembre pasan como dos millones de pájaros por aquí.

Contemplaban la escena desde la proa del *Manasa*, que se mecía suavemente sobre una gran ola.

—No entiendo cómo caben en una isla tan pequeña.

—Dicen que en total ocupan sólo un par de hectáreas sobre la costa oriental de la isla.

—Pero Cady, si toda la isla no mide más que un par de hectáreas. Al menos, eso parece.

—Eso te parece desde aquí —sonrió él—, además la isla no tiene elevaciones. Ya verás, dentro de un par de horas.

Volvieron a la cabina de mando. Ramesh estaba al timón, y no parecía demasiado feliz.

—¿Todavía te sientes mal? —preguntó Cady con una sonrisa maliciosa.

Ramesh asintió con tristeza.

—¡Jamás en mi vida volveré a beber! ¡Nunca jamás!

—Vamos, no digas eso, Ramesh —dijo Kirsty—. No estabas borracho.

—Pues no me siento muy alegre que digamos.

—¿Por qué no bajas a descansar? —dijo Cady—. Yo cojo el timón y te llamo cuando estemos a un par de kilómetros.

—No, ya has cumplido tu turno con creces —replicó Ramesh.

—No importa, me gusta —dijo Cady—. Hacía tiempo que no salía a navegar.

Ramesh le entregó el timón con alivio y bajó. Kirsty se tendió en una tumbona a tomar sol.

Realmente, se habían divertido en la fiesta, pensó Cady. Rajaratnam, Spencer y sus respectivas esposas habían llegado puntualmente. Jack Nelson y Dave Thomas se habían hecho cargo del bar. Joan White había preparado una gigantesca olla de curry. Fiona invitó a Lani a dar de comer a los peces. Lani se había puesto un sarong teñido a mano. Era una tela estampada en blanco y rojo ajustada bajo los pechos y suelta sobre el talle esbelto.

Ambas jóvenes bajaron a la playa, alzaron el vuelo de los sarongs y entraron al agua. Lani estaba excitada y nerviosa. Cuando un enorme mero se acercó a coger el trozo de comida que tenía en la mano, se echó atrás ruidosamente y salpicó a Fiona de arriba abajo.

Al verla, Cady pensó que no conocía a ninguna persona tan vital, ni tan inconsciente de su propia belleza.

Ramesh también recordaba la fiesta. Al reparar en la gente que estaba a su lado había sentido una enorme oleada de afecto. Dos meses antes no tenía otro amigo que Jaran Singh. Ahora estaba rodeado de ellos... y de origen tan diverso que era casi inconcebible. Entonces Jack se le acercó con un vaso alto, cubierto de escarcha en los bordes.

—Basta de cerveza, viejo. Éste lo he preparado especialmente para ti.

—¿Qué es?

—Gin tonic.

—¿No es muy fuerte?

—Más o menos... Es lo indicado para una fiesta.

Ramesh sorbió con cautela, y el sabor refrescante y agridulce le agradó de inmediato.

Hacía calor: vació el primer vaso y pidió otro. Se bebió cuatro antes de la cena, pero todo el mundo había bebido copiosamente.

Después de la cena, abundantemente regada con vino blanco, volvieron a la terraza y Joan puso el tocadiscos. Corrieron las mesas hacia los lados para hacer una pista de baile y la terraza se llenó de color y movimiento.

Sentado a un extremo de la barra, Ramesh contemplaba la escena. Jamás había bailado, y no tenía intenciones de debutar esa noche. Pidió una cerveza.

—No te apartes de la ginebra —le dijo Dave, retorciéndose la punta del bigote—. Con agua tónica y mucho hielo.

Ramesh asintió. Cómodamente sentado observó a Cady, que enseñaba a Lani a bailar el twist.

Cuando pasaron a la música lenta, Jack invitó a Kirsty a bailar. Ramesh se asombró al ver la gracia con que se movía su corpulento amigo. Se lo comentó a Dave, quien sonrió:

—Hay muchos gordos que bailan bien. ¡Ya verás cuando lo haga yo!

Kirsty llevaba un vestido azul oscuro ajustado en la cintura que apenas le tapaba las rodillas. Después de tantos días al sol estaba muy bronceada, y su espesa cabellera, que ondeaba sobre sus hombros al bailar, era más rubia que nunca.

Ramesh había bebido un par de gin tonics más, y tamborileaba sobre el mostrador de la barra al ritmo de la música, cuando Kirsty se le acercó.

—Vamos, Ramesh. Eres el único que no ha bailado.

—No, Kirsty, no —dijo, alarmado—. No sé bailar.

Pero ella lo cogió de la mano sin atender a sus protestas y se lo llevó a la pista.

—¡Pero si ni siquiera conozco los pasos! —dijo aterrado.

—No importa —rió—. Mueve los pies siguiendo el ritmo. Deja que te guíe.

Le puso la mano en el hombro y se apretó contra él. Ramesh vaciló, le rodeó la cintura con el brazo, empezó a moverse con ella, siguiendo el ritmo. Entonces su timidez se desvaneció de manera instantánea, el ritmo le atrapó de la cabeza a los pies y sintió la suave presión de aquel cuerpo de mujer contra el suyo.

—Estoy bailando... estoy bailando —murmuró, sin poder creerlo.

Kirsty rió con deleite.

—Lo haces muy bien, Ramesh. Eres intuitivo.

Bailaron tres piezas durante una hora, y entre una y otra se sentaron a la barra. Él le habló de su vida en la India, ella de Nueva York. Ramesh nunca había estado tan locuaz; bebía y hablaba y reía como si se conocieran de toda la vida. En determinado momento ella mencionó el cambio que se había operado en él.

—Después de treinta años de trabajo dejé mi oficina, subí al barco y salí al mar —sonrió Ramesh.

—¡Creo que te comprendo perfectamente! —rió Kirsty.

Alrededor de la medianoche, los nativos hicieron una demostración de *sega* e invitaron a los presentes a imitarlos.

Turbado por la bebida y la sensualidad de la danza, Ramesh se alejó hasta ocultarse al resguardo de unas casuarinas. Estaba mareado y su cerebro era un torbellino de emociones y sensaciones. Pensó que debía de ser la bebida.

Minutos después tenía la cabeza un poco más despejada, y se disponía a volver cuando vio la silueta de Jack Nelson a unos metros de distancia. Tenía el rostro crispado de dolor. Lo vio sacar algo de su bolsillo y echárselo a la boca. Ramesh se acercó.

—¿Te sientes mal, Jack?

—Eeeh... eres tú, Ramesh. No, no es nada. —Con visible esfuerzo recompuso su rostro—. Una indigestión, nada más.

La euforia de Ramesh se desvaneció. Se preguntó si no debía decirle algunas palabras de consuelo o comprensión, pero Jack se había serenado y ya no jadeaba. Palmeó el hombro de Ramesh.

—Hermosa fiesta, muchacho. Sería una lástima terminarla ahora, pero no dejes que la tripulación se quede hasta muy tarde. Tardaréis un día entero en llegar a Bird y no conviene pasar el arrecife de noche.

Volvieron a la barra cogidos del brazo, y la tristeza de Ramesh se disipó.

Al despertar por la mañana experimentó la primera resaca de su vida. La sonrisa maliciosa de Cady, sentado en la otra litera, no mejoró su humor, pero después de diez minutos bajo la ducha fría de cubierta, tres aspirinas, una taza de té y una rebanada de pan, se sintió un poco mejor. No hizo caso de la sugerencia de postergar la partida un día más, y empezó a preparar el barco para zarpar.

La despedida fue muy triste, sobre todo para Ramesh. Los Rajaratnam, los Spencer, Joan y Fiona, Dave y Jack e incluso un policía soñoliento, que debía asegurarse de que Lani partiera en el *Manasa*, fueron a despedirlos.

Dave llevó tres cajas para los Savy con verduras frescas y otras provisiones, la correspondencia y los periódicos. Y regaló a la tripulación del *Manasa* dos enormes pasteles de carne de cerdo; él mismo los preparaba y eran conocidos en todo el archipiélago.

Joan White aportó varias hogazas de pan casero y una botella de ginebra, que entregó personalmente a Ramesh con una sonrisa siniestra.

Los Spencer les regalaron un par de kilos de té de su plantación, y los Rajaratnam una canasta de frutas de su huerta. Ramesh conversó un rato con ellos en urdu. Rajaratnam se negó a aceptar una sola rupia en pago por sus servicios.

Jack Nelson no había traído nada, pero había dejado su caja de herramientas sobre la cubierta. Cuando vio que Cady la bajaba al muelle, gritó:

—¡Déjala allí, Cady! Les pertenece.

Ramesh protestó. Sabía que Nelson tenía aquellas herramientas desde hacía muchos años, y cómo las valoraba. Pero Nelson no cedió. Quería que Ramesh se las llevara.

Ramesh se le acercó, lo cogió del brazo y se alejaron. Escogió sus palabras cuidadosamente.

—Jack, dejo a muy buenos amigos aquí. Hace unos meses esto me habría parecido inconcebible. Todos me han ayudado en esta aventura de locos, pero tú eres una persona especial para mí. Me gustaría que vinieras con nosotros.

—También a mí me gustaría, Ramesh, de veras. Pero no puedo. Debo ir a Inglaterra próximamente, y seguramente ya no volveré.

—Comprendo —dijo Ramesh—. El primer día que viniste al *Manasa* vi el borde de la bolsa de colostomía. Mi madre tuvo la misma enfermedad y comprendo lo que te ocurría anoche.

Se miraron durante un largo rato, y Nelson asintió.

—Entonces sabes de qué se trata.

—Sí, pero no pierdas las esperanzas. No todos los casos son fatales. Hay métodos nuevos...

—No, Ramesh —dijo Jack con firmeza—. Me ha pillado el estómago, y se extiende. Estoy perdiendo peso, y el dolor es cada vez peor. O'Reilly dice que habría que operarme otra vez, pero no quiero. Me voy a Inglaterra a arreglar mis asuntos... Es cuestión de meses. —Vio la expresión de pena infinita en el rostro de Ramesh y le palmeó el brazo—. No te aflijas, ya no me asusta. Al principio, sí, pero desde que asumí la situación lo soporto mejor.

Ramesh trataba de contener las lágrimas.

—Jack... yo... te agradezco...

—¡No! El agradecido soy yo. Me ha hecho mucho bien arreglar ese motor. Y además... gracias a ti no moriré racista. —Su rostro, muy serio, se distendió y sonrió con afecto—. En mi testamento voy a dejarte mis bermudas de cerdo colonialista. ¡Y te perseguiré desde allá arriba si no las usas una vez por semana! —Ramesh sonrió y Jack lo cogió del brazo—. Vamos, es hora de partir.

Desde hacía media hora el ruido se hacía más y más fuerte. Un ruido extraño, agudo, que se desvanecía y volvía con más fuerza. Repuesto de su dolor de cabeza, Ramesh estaba a punto de subir a cubierta cuando escuchó la llamada de Cady:

—Nos acercamos a la isla. En diez minutos pasaremos el cabo occidental.

Ramesh salió a cubierta y se unió a Kirsty y Lani para contemplar el increíble espectáculo. Aproximadamente a un kilómetro se veía una isla larga y llana, cubierta en toda su extensión por cocoteros y bordeada por una cinta de arena blanca. Sobre la isla y el mar circundante decenas de miles de pájaros planeaban, revoloteaban y se lanzaban en picado, en medio de un estruendo cacofónico. Parecía un enjambre de abejas gigantescas en torno a su colmena. Algunos ejemplares planeaban muy cerca del agua, alzándose con las olas, con las alas inmóviles.

Era un espectáculo para contemplar durante horas, pero entonces vieron frente a la proa y a babor la espuma blanca del arrecife. Ramesh fue al timón y estudió el mapa que tenía allí. Dave había señalado la brecha en el arrecife, la manera de orientarse y las precauciones a tomar.

Ramesh estaba tenso. No le preocupaba la entrada a puerto sino Cady.

La presencia de dos hombres en un barco pequeño suele plantear dificultades, si uno es el dueño y es inexperto, y el otro lo sabe y se cree más hábil.

Era un momento de definición. Parado frente al timón, tranquilo, con las piernas abiertas, Cady contemplaba el cabo occidental y de tanto en tanto echaba un vistazo a los instrumentos. Ramesh había acabado de estudiar el mapa e iba a hacerse cargo del timón para guiar al Manasa, pero no quería crear una situación conflictiva. Era una tontería, aunque sabía que no había alternativa. El primer día era crucial para imponer su autoridad en todo cuanto concernía al barco. Dejó pasar un par de minutos, pero cuando iba a abrir la boca, Cady, sin apartar la vista de la isla, dio un paso al lado:

—Adelante, capitán —dijo—. Espero sus órdenes.

Ramesh cogió el timón con un suspiro de alivio.

—Gracias. Llegaremos al canal en un par de minutos. Hay que arriar las velas. Luego vete a la proa. Prepara el ancla y fíjate si hay bancos de coral. Y señálamelo con las manos.

Giró la llave de encendido y apretó el botón. El motor arrancó inmediatamente.

Quince minutos más tarde atravesaban el canal. Inclinado sobre la proa, Cady miraba el agua cristalina, el fondo de arena y coral. Kirsty estaba junto a Ramesh. Al doblar el cabo habían visto una sola embarcación anclada frente a la playa: un yate. También había una lancha neumática y una canoa de troncos.

—Tal vez está al otro lado de la isla.

—No, Kirsty. El arrecife la rodea, ésta es la única entrada. Bueno, pronto lo sabremos.

Había una casa entre los cocoteros. Alcanzaron a ver a dos personas que salían, bajaban al embarcadero y zarpaban en la lancha. Ramesh apagó el motor, el *Manasa* disminuyó la velocidad hasta quedar casi inmóvil.

La lancha, impulsada por un motor fuera borda, se acercó rápidamente. Guy y Marie-France les saludaron sonrientes. Pasaron frente al *Manasa* y Guy gritó que le siguieran.

Cinco minutos más tarde anclaban frente a la playa, Guy le aceptaba una cerveza fría a Ramesh y le explicaba que el cabo estaba sujeto a un bloque de hormigón de cinco toneladas. El *Manasa* estaría tan seguro como un bebé en su cuna.

Hechas las presentaciones, Kirsty preguntó por el *Jaloud*. Sufrió una decepción cuando Guy le dijo que el día anterior había partido hacia Poivre, a trescientos kilómetros de distancia, pero se reanimó cuando él agregó que tras un par de días en Poivre y otras islas cercanas se dirigiría definitivamente hacia Farquhar y Aldabra.

Ella lo puso al tanto de la situación y le explicó por qué había viajado a las Seychelles.

Ramesh quería continuar la persecución de inmediato, pero Guy le desalentó. El *Manasa* tardaría veinticuatro horas en llegar, y atravesaría una zona peligrosa durante la noche. Mejor sería partir en las primeras horas de la tarde. Además, un día de retraso no cambiaría las cosas, y debían bajar a cenar y conocer la isla. Si Cady se despertaba al amanecer, lo llevaría a pescar el pez vela. Kirsty y Cady se miraron, y fue ella quien habló:

—No hay problema. Estoy impaciente, pero tengo que acostumbrarme. Puede que esta persecución dure varias semanas, tal vez meses.

17

Cady contemplaba la aleta oscura que cortaba el agua, cincuenta metros detrás de la popa. Oyó a su lado la voz de Guy, serena pero tensa de emoción.

—Si pica, dale hilo. Te diré cuándo debes trabar.

Cady asintió, y su corazón latió con fuerza.

Sentado en el puesto de popa del yate, sólo ansiaba sacar un pez vela. Había tenido dos picadas en las últimas tres horas, y las había malogrado por impaciente.

La aleta ondeaba detrás del señuelo. De pronto avanzó, se hundió bajo el agua y al momento el enorme tambor del carrete entre las piernas de Cady empezó a girar y el sedal a salir.

—¡Espera! —dijo Guy, y empezó a contar. Cady apoyó el pulgar en la traba del carrete, sosteniendo la caña en posición horizontal sobre la popa—. ...Ocho, nueve, diez, ¡ahora!

Cady apretó la traba y sostuvo la caña con ambas manos.

—¡Jooodeeer! —exclamó al ver que el pez vela pegaba un tremendo salto fuera del agua, agitaba su cola sobre las olas y volvía a hundirse en medio de un torbellino de espuma.

—Qué belleza —dijo Guy con entusiasmo—. Fuerza, ahora.

Cady empezó a tirar. Sintió la tensión en su mano izquierda, que aferraba la caña. Estaba unido al gran pez por una cuerda de nailon capaz de soportar una tensión de cien kilos.

El pez vela saltó dos veces más, y en cada ocasión Cady tuvo que soltar varios metros de línea.

Pero poco a poco se cansó, y Cady empezó a tirar lentamente. Alzando la caña y recogiendo al bajarla. A los veinte minutos vio el contorno del pez bajo el agua, y Guy se puso un par de guantes de cuero. Levantó una sección del entarimado de cubierta y aferró el arpón de alambre.

—¡Lo tengo!

Cady dejó la caña y se paró a mirar, mientras Guy sacaba el pez del agua.

—Coge el arpón —dijo Guy, y Cady lo tensó. Entonces Guy aferró la espada del pez con las dos manos y dio un tirón. La cabeza del pez apareció fuera del agua, pero la mayor parte del cuerpo y la cola se agitaban con desesperación en la espuma.

—¡Ayúdame! —gritó Guy—. ¡No! Tiene la piel como papel de lija, te destrozará las manos. Coge un trapo.

Cady cogió un trapo, se envolvió las manos y aferró el pez. Y Guy gritó:

—Uno, dos, tres, ¡ya!

El pez cayó sobre la cubierta y Guy y Cady quedaron tendidos a ambos lados del cuerpo que saltaba sobre la madera.

Cady se quedó paralizado. Guy yacía en el lugar donde había caído, sacudiéndose espasmódicamente. Aterrado, Cady pensó que se habría lastimado, pero sólo se estaba riendo.

El pez vela medía algo más de dos metros. Sin dejar de reír, Guy lo aferró de la cola.

—¡Míralo bien! —le gritó a Cady.

Las escamas del pez vela brillaban en múltiples destellos. Cady lo observaba estupefacto. El fenómeno duró un minuto, luego el pez recuperó su tono negro azulado. Cady sacudió la cabeza, reverente.

—Si me lo hubieran contado, no lo habría creído. Nunca he visto una cosa igual. ¿A qué se debe?

—Los viejos pescadores nativos dicen que es su alma que se va al cielo —dijo Guy, encogiéndose de hombros—. La luz allá arriba es de la misma intensidad que la que acabas de ver.

—Casi me da pena haberlo pescado.

—Aquí se come todo lo que se pesca, no es sólo un deporte —dijo Guy. Lo rozó con la punta de la bota—. Lo voy a salar y ahumar. Es delicioso y se puede conservar durante mucho tiempo. —Miró hacia la isla lejana y luego a su reloj—. Vamos. Tardaremos una hora en volver.

Se fue al timón, apretó el acelerador y el yate cogió velocidad. Mientras tanto, Cady extrajo con mucho cuidado el anzuelo de la boca del pescado y limpió el aparejo y la cubierta. Había algo que no comprendía. Habían sacado una gran cantidad de atunes y barracudas, y para sacarlos del agua habían usado el garfio. Cuando se reunió con Guy frente al timón le preguntó por qué no había usado el garfio para sacar al pez vela.

—Por tradición y por estética —dijo Guy—. A los pescadores deportivos les gusta disecarlo para ponerlo en la pared. El garfio los estropea. No tengo intención de disecarlo, pero lo respeto demasiado como para estropearlo. —Sonrió—. Puro sentimentalismo.

Cady contempló la mancha verde en el horizonte por unos instantes.

—Te lo agradezco muchísimo, Guy. Ha sido una experiencia maravillosa.

—Ha sido un placer. Además, nos lo comeremos. Tenemos dieciocho trabajadores en la plantación: lo que no comen ellos, lo salamos y enviamos a Mahe.

Guy calló unos instantes y luego empezó a hablarle sobre Lascelles. Conocía a Lascelles desde hacía muchos años, y le dijo a Cady que si Kirsty seguía adelante con su plan de "perseguirlo", el otro reaccionaría con violencia.

Cady se mostró optimista.

—Es típico de él —continuó Guy—, y estoy seguro que la próxima vez que os vea será más duro. —Calló, y después de un instante dijo con mucha seriedad—: El problema es que Lascelles siempre lleva armas a bordo del *Jaloud*...

—¿Crees que las usará?

—Debes comprender —dijo Guy, pensativo— que Lascelles, como cualquier matón, en el fondo es un cobarde. Recuerdo la primera vez que vino aquí, hace unos años. Tenía una novia... una chica inglesa muy agradable. Llevaban juntos bastante tiempo. En aquella época él no bebía tanto como ahora. Una tarde ella salió a nadar. Él la esperaba en la playa. Estaba a unos setenta metros de la orilla, buceando entre los arrecifes de coral, cuando apareció un tiburón. Un pez martillo inmenso, de unos seis metros y medio. Estas aguas están infestadas de tiburones, pero no atacan a la gente, salvo en las islas más alejadas, como Aldabra. No se conoce ningún caso de que alguien haya sido atacado por un tiburón en estas islas. Mis hijos ni se molestan en salir del agua cuando aparece uno. El problema era que ella no lo sabía, y se asustó. Se puso a patalear frenéticamente para llegar a la orilla, y le dio un calambre en la pierna. Yo estaba en casa y oí sus gritos. Cuando llegué a la playa, Lascelles estaba rígido, con la cara pálida de terror.

—¿Y qué pasó?

—Me metí en el agua y la saqué. Estaba semiahogada, pero se recuperó. Al día siguiente se negó a partir en el barco de Lascelles, ni siquiera se dignó a hablar con él. Permaneció con nosotros un mes entero, hasta que llegó la goleta que recorre las islas. —Sonrió—. Era una muchacha bonita y muy agradecida, y yo era soltero todavía. Pasamos un mes muy agradable. Pero a lo que quiero llegar con todo esto —añadió, serio otra vez—, es que Lascelles es un cobarde. El problema radica en que un cobarde acorralado recurre a cualquier cosa, incluso a un arma de fuego. —Hizo una pausa para que Cady lo comprendiera bien, y añadió—: No hablé de esto anoche para no asustar a los demás. ¿Crees que Kirsty abandonará la persecución?

Cady negó con la cabeza.

—¿Y qué me dices de ti, Ramesh y la chica?

—Me quedaré con ella hasta el final, y creo que Ramesh también. Es un tipo extraño. Parece muy tranquilo, pero en el fondo tiene mucho carácter. Lani irá con él a cualquier sitio. No tiene opción, pero si la tuviera creo que nos seguiría... También ella tiene carácter.

—¿Les dirás que Lascelles va armado?

—Tengo que hacerlo. ¿Realmente te parece tan peligroso? Estando con esos ornitólogos...

—No siempre estarán con él. En las islas más desiertas tendrán que acampar en la costa. ¿Qué pasa si Lascelles los deja unos días en una isla y se va? Ahí es cuando la persecución se volverá peligrosa.

Ya estaban cerca de la isla. Guy miró el rostro preocupado de Cady.

—Coge el timón —dijo de pronto.

Guy bajó y durante diez minutos produjo una serie de ruidos en la cabina interior. Cady echó un vistazo por la escalera. Guy había levantado las tablas del suelo y yacía echado de bruces.

Guy subió a cubierta con una caja metálica de un metro por unos treinta centímetros de ancho, cerrada con candado. La puso sobre cubierta y sacó una llave de una caja de herramientas.

—Ábrela —dijo y se la tendió a Cady.

Cady se sentó de cuclillas junto a la caja. La abrió y se encontró con varios objetos envueltos en tela. Miró a Guy.

Luego cogió el objeto más largo, le quitó la tela y descubrió, estupefacto, que lo que tenía en sus manos era una metralleta. Guy sonrió.

—Es una pistola ametralladora Mark 2. Vieja, pero buena. ¿Sabes usarla?

—Sí, creo que sí. He tenido una Sterling y una Grease.

—Muy bien.

Cady abrió los demás objetos. Eran seis cargadores para la Mark 2, una pistola Walther PI 9 milímetros y seis cargadores. Todos con sus correspondientes municiones.

—¿Cómo las conseguiste?

Guy sonrió.

—Me las dio Lascelles. Irónico, ¿no?

Nueve meses antes el *Jaloud* se había detenido en la isla para cargar provisiones y combustibles. Lascelles dijo que venía de las Indias Orientales y había tenido que recurrir al motor debido a una fisura en el palo mayor. Iba rumbo al África Oriental y tenía prisa. Guy le preguntó por qué no se había detenido en Mahe a cargar combustible. Lascelles le guiñó el ojo y se frotó la nariz. Guy comprendió: Lascelles llevaba contrabando y quería evitar la aduana en Mahe. Con renuencia, aceptó venderle un barril de gasoil, doscientos litros de agua y alimentos enlatados.

Con sus empleados ayudó a Lascelles y Carlo a llevar la carga a bordo. Observó que el agua sobrepasaba la línea de flotación del *Jaloud*. Sujetaron el barril de gasoil y los de agua sobre cubierta, de manera que la bodega debía de estar repleta. Guy le pidió el dinero pero Lascelles le contestó que en aquel momento no lo tenía, que volvería tres semanas más tarde a pagarle.

Guy le replicó con toda claridad que no le concedería crédito. Si hubiese estado solo la situación se le hubiera complicado, pero le acompañaban sus cuatro empleados. Tras un par de bravuconadas, Lascelles y Carlo se apartaron a discutir y finalmente Lascelles le ofreció un trueque. Le permitiría escoger algunos artículos de los que llevaba en la bodega, por el valor equivalente al combustible y las provisiones.

—Lo que llevaba eran armas y municiones —dijo Guy—. Había de todo, la mayoría cosas viejas. Metralletas, fusiles, pistolas. Un par de ametralladoras pesadas. Hay muchas armas dando vueltas por las Indias Orientales, desde la guerra mundial. Regateamos, y me quedé con éstas.

—¿Adónde iba con aquella carga?

—Quién sabe. Partió con rumbo oeste, así que iría a la costa de Zanzíbar. Seis semanas después se produjo la revolución. Los rebeldes masacraron a miles de personas.

—¡Ese Lascelles es un buen ejemplar! —murmuró Cady.

—Ahora tendréis con qué responder si la cosa se pone fea.

—Te pagaré las armas.

—No, es mi aportación a la causa. Pero no lo menciones hasta que os vayáis. Marie-France no sabe nada, por eso las tenía en el yate. En cuanto pude las hice registrar en Mahe y alerté a las autoridades acerca del cargamento de Lascelles.

Marie-France estaba en el centro de la colonia de aves con Kirsty, Ramesh y Lani. El estrépito de los pájaros les obligaba a hablar gritando, y continuamente había que bajar la cabeza para esquivar a algún pájaro, indignado ante la presencia de extraños en su territorio.

Marie-France explicó que la golondrina de mar tiene una sola pareja durante toda su vida. Cada año la pareja vuelve a poner sus huevos en la misma parcela minúscula de playa. En sus migraciones llegan hasta Australia y América. El ave no forma pareja hasta su tercer año de vida. Hay un enigma que desvela a los ornitólogos. La golondrina, a diferencia de la gaviota, no puede estar en el agua porque no tiene las plumas enceradas. Sólo baja a tierra a copular y empollar los huevos. Jamás se han visto golondrinas sin pareja en tierra. Por consiguiente, se cree que la golondrina pasa sus primeros tres años de vida permanentemente en el aire.

Kirsty contempló la nube de aves.

—Jamás pensé que vería tantos pájaros juntos.

Marie-France rió.

—Ya verás otras colonias. —Extendió el brazo para abarcar las dos hectáreas de playa—. Hace cincuenta años se recogían cuarenta mil docenas de huevos por temporada. Es un manjar muy codiciado. Si uno le quita el huevo, la hembra pone sólo uno más. Pero los recolectores eran demasiado ávidos, se llevaban el segundo huevo. La colonia llegó al borde de la extinción, pero ahora ha vuelto a reproducirse. Los ornitólogos que viajan con Lascelles dicen que aquí hay más de dos millones.

Al oír el nombre de Lascelles, Kirsty miró casi inconscientemente su reloj.

—No te preocupes —dijo Marie-France—. Guy ha dicho que volvería al mediodía. Vamos a visitar a Esmeralda. Dicen que es una de las tortugas más grandes y más viejas del mundo. A esta hora generalmente está dormida a la sombra de las casuarinas.

Media hora más tarde, parados en la playa, vieron que el yate se acercaba al embarcadero. Antes se detuvo junto al *Manasa* y Cady pasó una caja de un barco al otro. Luego se alejó y ancló. Un par de nativos de la plantación subieron a la canoa y remaron hacia el yate. Poco tiempo después bajaban el gran pescado negro, y Marie-France sonrió.

173

Cady relató su hazaña con todo detalle. Guy cogió a Marie-France del brazo y se dirigieron a la casa, dejándolos solos en la playa para que Cady pudiera contarles lo que habían hablado.

—Cuando estábamos pescando, Guy me ha dicho que Lascelles lleva armas en su barco. Dice que si lo acorralamos, tal vez las use.

—Comprendo —suspiró Kirsty—. Pero, ¿y los ornitólogos?

—Lascelles puede dejarlos en una isla.

—¿Qué estás insinuando? —preguntó Ramesh con severidad—. ¿Que nos demos por vencidos?

—Oh, ¡no! —replicó Cady, sorprendido por el tono de voz de Ramesh—. Sólo repito lo que me ha dicho Guy. Tenía que hacerlo.

—Cady tiene razón —dijo Kirsty, pensativa—. Yo seguiré adelante. Pero no es justo que os meta a vosotros en esto. El barco es tuyo, Ramesh. —Alzó la mano cuando vio que él iba a hablar—. Un momento. Creo que debéis decidirlo entre vosotros. Si decidís seguir viaje a Mombasa, no hay problema. Dejadme en Mahe, ya encontraré la forma de seguir. Creedme, no habrá rencor por mi parte. Esto es un asunto personal. No puedo pediros que arriesguéis vuestras vidas.

Se alejó caminando por la playa.

—¡Espera! —dijo Ramesh.

Kirsty se detuvo y se giró para mirarlo.

—¡Vuelve aquí inmediatamente!

Ella estaba maravillada por el cambio que se había operado en él. Había observado cómo aumentaba su confianza desde que zarparon de Mahe. Aunque seguía siendo un hombre cortés y atento, lentamente perdía su timidez. Ramesh los miró a todos, uno por uno, erguido y con la frente alta.

—Es verdad que el *Manasa* es mío. Soy el capitán. El barco y la seguridad de todos los que navegan en él es de mi responsabilidad, aunque hasta hace poco era un *babu* inexperto, como vosotros bien sabéis. El que manda soy yo. ¿No es así, Cady?

—Sí, pero...

—Nada de peros. —Ramesh alzó la mano para imponer silencio—. Acepto que me deis consejos. No soy un dictador, pero si sé que en un barco sólo manda uno, sobre todo en momentos de riesgo y peligro. —Miró a Lani—.Tu situación es la más complicada, porque eres la única que no tiene opción, por el momento.

—No es cuestión de opciones, Ramesh... Tú lo sabes.

—Perfecto —dijo y se giró hacia Kirsty—. Ésta es mi decisión: el *Manasa* navegará hacia Poivre y se mantendrá constantemente a la vista del *Jaloud*. Si Cady quiere desembarcar en Mahe, pues...

Lo interrumpió un rugido de furia.

—¡Oye, un momento! —Su rostro estaba rojo de indignación—. ¡Quién coño ha dicho que voy a desembarcar!

Lani puso fin a la tensa situación.

—Estáis todos locos. Nadie quiere darse por vencido, ni ha sugerido semejante cosa.

—Guy tiene razón y Cady ha hecho bien en advertirnos —dijo Kirsty.

—La situación no es desesperada ni mucho menos —dijo Cady—. La relación de fuerzas está más o menos igualada. Os contaré una cosa cuando zarpemos. —Miró a Ramesh—. Nunca he puesto en duda tu autoridad como capitán. Creo que tengo bastante experiencia como navegante, y la pongo a tu disposición... pero sólo cuando me la pidas.

Ramesh asintió:

—Cady, me alegra tenerte conmigo a bordo. —Miró su reloj—. Despidámonos de Guy y Marie-France. Quiero zarpar antes de la una.

18

Ramesh disparó. Tras el estampido se alzó un chorro de agua a unos diez metros de la botella que flotaba en el mar.

—¡Vaya! —exclamó Ramesh—. Es bastante difícil.

—Claro —dijo Cady con paciencia—. Siempre retrocede un poco. Coge tu muñeca derecha con la mano izquierda para estabilizarla. Así. Ahora apunta al blanco con el brazo estirado y aprieta el gatillo muy despacio.

Estaban en la cubierta de popa del *Manasa* a unos sesenta kilómetros al oeste de la isla Bird. Anochecía, y el viento había disminuido, como suele suceder cuando cambia el monzón. Ramesh jamás había disparado un arma, y Cady sugirió que gastaran un cargador de balas de nueve milímetros para practicar con la Walther. Hubiera querido hacerlo con la metralleta, pero los cargadores eran de treinta y dos balas y se vaciaban con una sola ráfaga de dos segundos. Decidió que sería mejor conservar intactos los seis cargadores, por si las moscas.

Kirsty y Lani observaban con interés, y aplaudieron entusiasmadas el siguiente tiro. El chorro de agua se había alzado a menos de un metro de la botella.

—¡Muy bien! —dijo Cady, alzando el casquillo caído en la cubierta.

El disparo siguiente, para gran decepción de Ramesh, salió mucho más desviado.

—Has disparado muy rápido —dijo Cady, severo—. El cañón se ha desviado justo en el último momento. Aprieta suavemente, Ramesh.

El disparo siguiente estuvo más cerca del blanco, el chorro de agua bañó la botella.

Aunque no llegó a dar en el blanco, los últimos cuatro disparos cayeron muy cerca y Cady se sintió satisfecho.

Pero Ramesh murmuraba maldiciones después de cada disparo.

—No es nada —dijo Cady en tono alentador—. Por ser la primera vez has estado muy bien. Si el blanco hubiese sido un hombre, cualquiera de los últimos cuatro disparos lo hubiera alcanzado. Además, las armas cortas se usan a corta distancia. Si le disparas con esta precisión a un hombre a menos de cinco metros, se enterará, créeme.

Ramesh miró la pistola. Le agradaba sentir el peso del arma en la mano. Se preguntó si sería capaz de apuntar a un hombre y disparar. Cady leyó sus pensamientos.

—Cuando esté en juego tu vida no tendrás remordimientos, Ramesh. No te quepa la menor duda.

—Te creo —asintió Ramesh—. ¿Alguna vez lo has hecho?

—Una vez. En un carguero en el puerto de Yakarta. Estuvimos varias semanas sin poder descargar. Había muchos ladrones, verdaderos piratas. Se acercaban a los barcos durante la noche, tiraban garfios envueltos en tela y subían. Montábamos guardia armados. Una noche trataron de abordarnos. Yo estaba medio dormido, pero alcancé a ver unas sombras en la popa. Me asusté y empecé a disparar, hasta vaciar el cargador. Tenían unas lanchas enormes, con cinco motores. Huyeron despavoridos.

—¿Mataste alguno?

—No lo sé. Había sangre en la borda, así que supongo que lo herí.

—Ajá. —Ramesh tendió la pistola a Cady, quien apartó el cañón con un dedo.

—Nunca apuntes la pistola, Ramesh.

—Pero está descargada.

—Sé de más de uno que ha muerto porque la creía descargada.

Cogió la pistola, le puso el seguro y le quitó el cargador.

—Voy a engrasar la pistola y la metralleta. Has estado bien, Ramesh. Muy bien, por ser la primera vez. —Miró su reloj—. Quiero dormir un rato antes de la guardia.

Ramesh había distribuido los turnos de guardia y, a pesar de las protestas de Cady, había reservado para sí el más cansado, de medianoche a cuatro de la madrugada.

Fue al timón, giró la palanca del acelerador y el *Manasa* cogió velocidad sobre el mar en calma, rumbo a las Almirantes.

El viento se levantó a las tres de la madrugada. Cady se despertó al sentir la desaceleración del motor. Pensó que algo iba mal, pero entonces oyó los pasos de Ramesh sobre la cubierta y adivinó que estaba izando la vela. Decidió no subir a ayudarlo, porque Ramesh podría interpretarlo como una muestra de desconfianza. El rumbo del barco se alteró levemente, y Ramesh gritó algo de manera que Lani o Kirsty debían de estar al timón.

Miró la esfera luminosa de su reloj y creyó mejor dormir unos minutos más antes de subir a relevarlo. Se giró en la estrecha litera, acomodó la almohada y cerró los ojos.

Pero estaba desvelado, y sus pensamientos se concentraron en Lani. Últimamente pensaba mucho en ella.

Sabía que se estaba enamorando, y eso le preocupaba y confundía. Aquella noche habían comido en cubierta: un trozo de pez vela ahumado, regalo de Guy, y uno de los pasteles de cerdo de Dave, con ensalada. Ramesh y Kirsty habían monopolizado la conversación. Estaban muy cómodos el uno con el otro. Lani mordisqueaba su comida.

—El pastel es delicioso —le dijo él—. ¿No te gusta?

Ella lo miró con una sonrisa.

—Me imagino que sí. Es falta de costumbre: nosotros cocinamos el cerdo de otra manera.

—Comprendo. No estás acostumbrada a la cocina occidental. Pero no te preocupes: me encanta la comida china todos los días.

—No, no —replicó con firmeza—. Tengo que acostumbrarme. Tengo que acostumbrarme a muchas cosas.

Cady quería preguntarle qué pensaba hacer en el futuro, pero no se atrevió. Ninguno de ellos tenía demasiadas ideas al respecto, y Lani menos que nadie.

Ella lo miraba de manera extraña: de reojo y apartando la vista rápidamente. Tratándose de una muchacha occidental, lo hubiera tomado como una forma de coqueteo, incluso de seducción. Pero en ella era distinto: sentía como si la asustara. Cuando Lani hablaba con Ramesh y Kirsty, les miraba directamente a los ojos.

Cady suspiró y miró su reloj. Las tres y media. No valía la pena tratar de dormir. Tal vez Ramesh quisiera café.

Cruzó el pasillo, descalzo, rumbo al salón. Cuando se disponía a subir a cubierta oyó voces. Hablaban casi en susurros, pero el viento de popa las hacía comprensibles.

—Ella me gusta mucho, Lani, ¿Cómo te has dado cuenta? No creía que fuese tan evidente —decía Ramesh.

La voz de Lani venía desde la borda de popa y era aun más débil.

—Porque te conozco bien, Ramesh. He notado cómo la miras. Eres muy amable con ella, la escuchas con mucha atención.

Cady se detuvo. Había preocupación en la voz de Ramesh.

—¿Y a ti te molesta, Lani? ¿Te ofende?

—No, nada de eso —dijo ella con despreocupación—. Es una buena mujer, y comparte tus sentimientos. También eso es evidente. —Hizo una pausa y añadió—: Pero me preocupas tú, Ramesh. Ella tiene una obsesión. Está segura de que su hijo está vivo, aunque no tiene pruebas.

—Yo también estoy seguro.

—Y yo. Pero en mi caso es porque quiero creerlo... por ella. Allí en la isla, cuando Cady nos habló de las armas, pensaste que queríamos abandonar la búsqueda y te enojaste mucho. Eso sucede porque te está atrapando la misma obsesión. Eso es malo. ¿Y si el muchacho estuviera muerto? ¿Cuánto tiempo seguirás con esto?

—No lo sé, Lani. No sé qué pasará en las próximas semanas. Que suceda lo que tenga que suceder. —Una pausa—. Hay algo que me preocupa más que esto: Cady.

—¿Por qué?

—Pues... vinieron juntos. Él la quiere mucho. Creo que la ama.

—No —replicó Lani con serena convicción—. Lo que hay entre ellos es diferente. Ella siente por él lo que tú sientes por mí.

—Sin embargo —murmuró Ramesh—, es un chico muy atractivo, muy viril... Atraería a cualquier mujer... ¿no te parece?

—No, no me parece.

—¿De veras?

—De veras. Soy china. Ramesh, no lo olvides. Nuestras ideas sobre la belleza no son las mismas.

Para nosotros, la mayoría de los occidentales son feos y groseros. Tienen cuerpos torpes y peludos; parecen monos. A veces me cuesta mirarle a la cara.

—...Porque ha sufrido esa paliza.

—No es por eso. Veo sus cejas rubias y su cabello largo, esa barba de varios días... y pelo en el pecho y en los brazos. Ya me acostumbraré —rió—, como a los pasteles de cerdo.

—Pero te gusta —dijo la voz perpleja de Ramesh.

—Mucho. Es paciente y bueno... ¡pero tan feo!

En la sala, Cady maldijo en voz baja. Pero su rostro estaba iluminado por una enorme sonrisa.

19

Cady se sentía en paz con la vida. Calculaba que llegarían a Poivre poco después del mediodía. Entonces empezaría la verdadera persecución. Ansiaba la hora de la llegada. Quería volver a enfrentarse con Lascelles. No lo provocaría, sólo deseaba estar cerca. Acecharlo como el cazador a su presa.

Ahora estaba seguro de sus sentimientos. Estaban claros como el agua. Sentía gran afecto por Kirsty, y una admiración sin límites.

Estaba enamorado de Lani. Le reconfortaba tener las cosas claras. En sus veintiséis años de vida había visto y hecho muchas cosas. En los últimos ocho había trabajado mucho y viajado por el mundo y conocido la emoción y, a veces, el miedo. Pero nunca había experimentado el amor.

Oyó pasos en la escalera y vio el rostro de Kirsty. Tenía el pelo revuelto y se tapaba la boca para ocultar un bostezo.

—Buenos días, Cady —murmuró—. ¿Estás solo?

—Sí. ¿Has dormido bien?

Sonrió, todavía soñolienta.

—¡De fábula! ¿Dónde estamos?

—Frente a Daros. Calculo que llegaremos a Poivre dentro de seis horas.

—Vamos rápido, ¿verdad?

—Ya lo creo. Hemos tenido viento durante la noche.

Salió a cubierta y contempló la isla a un par de kilómetros: cocoteros, una playa blanca y al parecer vacía.

—¿Quieres desayunar, Cady? ¿Te hago unos huevos con tocino y café?

—¡Perfecto! —dijo él, bruscamente famélico.

—¿Te parece que despierte a los demás?

—Mejor que duerman. Han estado de guardia hasta pasadas las cuatro.

Quince minutos más tarde ambos desayunaban sobre la mesa plegable en la cubierta de popa. El viento era muy uniforme y el *Manasa* mantenía el rumbo.

Kirsty ya estaba despierta, el viento le agitaba el pelo. Observaba cómo comía Cady, que devoraba cuatro huevos con seis lonchas de tocino.

Cuando acabó su plato, le sirvió café y le dijo:

—Bueno, cuéntame.

—¿Cómo? —preguntó con la boca llena.

—Cuéntame qué te pasa. Pareces radiante.

Él la miró con los ojos entrecerrados y ella sonrió.

—Ya me lo imagino. Estás enamorado de Lani. —Rió al ver su expresión avergonzada.

—¡Dice que soy feo! —exclamó él, casi con culpa.

—Lo sé. Me lo dijo anoche.

—¡De veras!

—Sí. Hablamos un largo rato después de la cena. Cosas de mujeres. Necesitaba hablar de sus cosas.

—Vamos, cuéntame —dijo Cady, inclinado sobre la mesa.

—No hay nada que contar. Hablamos de Ramesh y de ti y... cosas de mujeres. —Hizo una pausa y añadió—: Me alegro por ti... y por mí. Esto resuelve las cosas. ¿Recuerdas lo que hablamos en el hospital en Mahe? En lugar de preocuparme por tus sentimientos, ahora me sentiré tranquila por contar con un buen amigo.

Él asintió, muy serio, y le cogió la mano.

—Te comprendo porque siento lo mismo. Me gusta.

Ella sonrió otra vez.

—Ten cuidado, Cady. Esta muchacha tiene problemas... y además es virgen.

—¿Te lo dijo?

—Sí. También me dijo que quiso entregarse a Ramesh, por agradecimiento, pero que él ni siquiera la tocó, aunque pasaron veinte días solos en alta mar.

—Es un tipo extraordinario —dijo Cady, reverente—. Anoche les oí conversar durante la guardia. Le gustas.

Kirsty suspiró y giró la cabeza hacia el horizonte.

—Lo sé. Me he dado cuenta.

—¿Y qué sientes tú?

Se volvió para mirarlo, con una expresión desafiante.

—A mí también me gusta. Pero me asusta. Cada día le conozco mejor, y me gusta más. Hay algo entre nosotros, que crece día a día. No quiero que esto suceda. No quiero dejarme llevar por mis sentimientos hasta que sepa qué le pasó a Garret. No he venido hasta aquí en busca de aventuras. He venido a buscar a mi hijo.

—Está bien. Pero la vida continúa, no puedes evitarlo. Es evidente lo que sientes por él.

—Gratitud ante todo, como Lani, me ayuda, como me ayudas tú. Todo lo demás esperará hasta que termine lo que he empezado.

Había una luz desafiante en sus ojos.

—Está bien, Kirsty, pero te diré algo: aunque Ramesh es un tipo honesto, no me parecería mal que se aprovechara de la situación para obtener ciertos... beneficios.

Kirsty ocultó su expresión sacudiendo su cabello.

● ● ●

El viento se hizo más fuerte alrededor del mediodía. Ramesh salió a cubierta y miró al cielo. Las nubes eran tenues y muy altas. Cady estaba al timón.

—El barómetro está bajando. ¿Qué te parece?

Cady miró las nubes y se encogió de hombros.

—Viento del sureste. Tal vez una tormenta cerca de Madagascar. Estamos muy al norte, y aquí no hay huracanes.

Ramesh bajó y Cady pensó que iba a consultar su manual del navegante, en el capítulo sobre tormentas. Subió a cubierta veinte minutos más tarde.

—El barómetro sigue bajando, cada vez más rápido... Según las notas de Dave Thomas, de tarde en tarde hay tormentas al norte, cerca de Providence. La última fue hace diez años.

Cady lo miró de reojo para ver si estaba nervioso. Nada de eso: serenamente contemplaba el mar, donde aparecían los primeros picos de espuma.

—Estamos muy al norte de Providence. Tal vez tengamos una tormenta.

Ramesh asintió y llamó a Lani y Kirsty. Puso a Lani al timón y encargó a Kirsty la tarea de sujetar todos los objetos sueltos bajo cubierta. Él y Cady arriaron la vela mayor.

Avanzada la tarde, la fuerza del viento había aumentado y las olas alzaban el barco. El barómetro seguía bajando. Ramesh y Cady izaron un foque de tormenta. El mar estaba cada vez más agitado, y el *Manasa* corcoveaba como un caballo encabritado.

Cady estaba impresionado. Ramesh era un novato, pero realizaba los preparativos con pericia y serena confianza. Aparejaron jarcias en la proa y la popa y ajustaron cuatro cuerdas salvavidas. Pusieron salvavidas en la cabina, al alcance de todos. Dos de ellos estaban equipados con luces y Ramesh las probó. Finalmente, mientras Cady verificaba que todo estuviese correcto en la sala de máquinas, Ramesh sujetó un ancla pequeña a una cadena corta y una cuerda de veinte brazas. Luego verificó los estays y demás elementos sobre cubierta.

Cady dejó la sala de máquinas y echó una mirada al barómetro. Seguía bajando. Kirsty salió del castillo de proa. Estaba muy pálida y tuvo que agarrarse a la baranda.

—¿Cómo te sientes, Kirsty?

—Horrible. Estas pastillas no sirven para nada. Mal tiempo, ¿verdad, Cady?

—Y todavía no ha pasado lo peor. Acuéstate, será lo mejor.

Fue a verificar que su litera estuviera bien sujeta. Ella se acostó.

—¿Corremos peligro?

—No —dijo con confianza—. Pasaremos una noche movida, pero el viento va a amainar antes del amanecer.

Al anochecer el viento soplaba fuertemente. La única vela que mantenían izada era el foque, y el *Manasa* cabeceaba con violencia. El barómetro seguía bajando, a razón de un milibar por hora. Cady y Ramesh se reunieron en cubierta.

—Desgraciadamente, no sé lo que se debe hacer en esta situación —dijo Ramesh—. Unos dicen que hay que aparejar la popa, otros que conviene echar una ancla por la proa. ¿Qué dices tú?

Cady contempló las enormes olas que venían desde la popa. Alzaban al *Manasa* y a veces la caída era violenta.

—Creo que vamos a estar mejor con la proa apuntando al viento y el motor parado. —Señaló las olas—. Corremos el riesgo de perder el mástil.

Ramesh asintió, complacido.

—De acuerdo. Manos a la obra.

Cuando cayó la noche navegaban contra el viento y las olas, saltando como un gran corcho. Muy incómo-

186

do, pero bastante estable. Ramesh y Cady, sentados en la cabina, se habían puesto los chalecos salvavidas, sujetándolos a las cuerdas. Habían levantado un toldo de lona que les mantenía bastante secos, a pesar de las olas que salpicaban la cubierta desde la proa. Lani subió la escalera a trompicones, trayéndoles unos bocadillos. Se sentó junto a Ramesh, quien le puso un chaleco y lo sujetó a la cuerda.

—¿Has comido? —preguntó Cady, y ella negó con la cabeza.

—Estoy un poco mareada.

—¿Cómo está Kirsty? —preguntó Ramesh.

—Ha vomitado dos veces, ahora está mejor. Creo que las pastillas le han dado sueño.

—Bien, esperemos que duerma.

El punto culminante de la tormenta llegó alrededor de la medianoche. Lani estaba abajo, con Kirsty. Ramesh y Cady, en la cabina. Habían decidido que ninguno de los dos bajaría a descansar, porque tardaría demasiado en subir a cubierta si sucedía algún percance.

Minutos antes de la una de la madrugada, una enorme ola cayó sobre la cubierta, arrancó el toldo y los empapó. Cady creyó haber oído un ruido de madera rota en la proa y decidió comprobarlo. Se arrastró lentamente hacia allí, aferrándose a todo lo que encontraba al alcance de la mano. Ramesh lo observaba desde la cabina.

Entonces Kirsty se despertó y, ante un nuevo ataque de náuseas, decidió salir a cubierta a respirar aire fresco.

Arrodillado sobre cubierta, Cady verificó la abrazadera del ancla: todo bien. Se giró hacia Ramesh y alzó el pulgar, y en aquel momento vio la cabeza de Kirsty que subía por la escalera.

—¡Chaleco! —gritó. La proa se alzó bruscamente y Cady se aferró a la borda, sumergido bajo una gran ola. Cuando pasó, sintió que sus tripas se contraían. La ola había arrastrado a Kirsty, que se aferraba a la amura con un brazo. El pelo empapado le tapaba los ojos. Ramesh se acercó rápidamente, caminando como un cangrejo con el brazo extendido. Entonces el *Manasa* cabeceó otra vez, la ola barrió la cubierta, y Kirsty desapareció. Ramesh estaba tendido junto al palo de mesana. Rápidamente se alzó sobre las rodillas, se soltó de la cuerda, dio dos pasos y se arrojó por la borda.

Entonces reaccionó. Con su mano derecha soltó el cabo del ancla. El *Manasa* dio un brusco cabezazo y estuvo a punto de zozobrar, pero en el último momento se enderezó con una sacudida imponente.

Cady corrió a la cabina, llamando a Lani con alaridos, pero ella ya llegaba a cubierta.

Le dio un chaleco y el extremo de una cuerda. Luego cogió el timón, soltó la cuerda y empujó la palanca del acelerador, gritando por encima del hombro:

—¡Agárrate al palo mayor! ¡Trata de trepar con los brazos y las piernas, busca una luz en la cresta de las olas! —Señaló la proa hacia estribor—. ¡En esa dirección!

Lani se fue hacia el palo rápidamente, lo alcanzó en tres saltos y se abrazó a él. Cady soltó un poco el acelerador para ajustar la velocidad al impulso de las olas. No se hacía ilusiones, tenía dos minutos, como máximo, para encontrarlos. En semejante tormenta, una persona asustada podía ahogarse incluso llevando chaleco salvavidas... y Kirsty no lo llevaba. Rogó que Ramesh la encontrara y pudiera verla gracias a su chaleco luminoso.

Kirsty veía la luz del chaleco. También oía la voz angustiada de Ramesh.

—¡Kirsty! ¡Acércate a la luz! ¡La luz!

Cuando la vio de nuevo quiso agitar los brazos, pero le pesaban como si fueran de plomo. Cuando abrió la boca para gritar tragó agua y se sumergió y el pánico la sacudió como una descarga eléctrica. Salió a la superficie y vio la luz, mucho más cerca. Comenzó a bracear y a llamar a gritos a Ramesh.

Otra vez se sumergió, tragó agua y de pronto sintió que iba a morir. Sus brazos y piernas estaban paralizados y la invadió una sensación de languidez.

Su mente la obligó a sobreponerse. Casi inconsciente, sintió que una mano le aferraba el brazo y oyó la voz de Ramesh:

—¡Extiende los brazos! ¡No te resistas! ¡Por amor de Dios, no te resistas!

En el *Manasa*, Lani sentía que sus brazos y piernas estaban al borde del límite. Las olas la bañaban, impidiéndole ver, y sollozaba de impotencia. Logró serenarse con gran esfuerzo. Cerró los ojos con rabia, los abrió y trató de diferenciar alguna silueta en la negrura: nada, sólo agua y espuma. Otra ola la remojó, pero esta vez creyó ver algo. Una luz. Se la señaló a Cady a gritos. Él también la vio.

—¡Ven aquí! —gritó, agitando el brazo. Lani se soltó y avanzó con esfuerzo hasta el timón.

—Hay que llegar hasta ellos. Voy a botar la lancha. Sostén el timón y no pierdas de vista la luz.

Ella cogió el timón y él fue a la escalera y encendió las luces; luego llevó el bote inflable a la cubierta de proa. Con una mano desenrolló la cuerda mientras que con la otra abría la válvula. Levantó la escotilla de proa, sacó una soga gruesa y la ató al bote.

Luego lo arrojó por la borda, luchando contra el viento. Con el extremo de la soga en la mano corrió a la popa, pasó la soga por una argolla y la fijó en el cabestrante de la vela mayor. El bote saltaba sobre las olas a veinte metros de la popa. Volvió al timón.

—Déjame el timón. Tendrás que darle al cabestrante cuando yo te indique. ¿Dónde está la luz?

189

Ella la señaló y él comprobó con satisfacción que estaba a menos de cincuenta metros a estribor. Sabía qué debía hacer; sólo habría una oportunidad. Giró el timón. Alcanzaría el bote por el lado de barlovento y entonces apagaría el motor del barco. El bote y la soga flotarían hacia ellos. Ramesh y Kirsty tendrían que subir al bote por su propia cuenta: estaba medio inflado para que les resultara más fácil.

—¡Lani, hay una linterna en el armario del salón!

Cuando ella volvió con la linterna, iluminaron el agua y vieron las dos cabezas, una morena y la otra rubia. Cady sintió alivio, pero sabía que estarían agotados y que faltaba lo más difícil.

Se concentró en el timón y puso al barco contra el viento. Al ver que estaban sobre la misma ola apagó el motor.

—¡Ramesh! ¡La soga a popa! ¡Agárrala! ¡El bote a estribor!

Vio un brazo que se agitaba. Cogió la linterna y la apuntó a la soga. Dos olas más. La luz se acercó a la soga que se tensó. Soltó un grito de triunfo.

—¡Tira de la soga, Lani! Muy despacio.

Lo hizo y el bote se acercó lentamente hacia las dos cabezas. La fuerza del viento disminuía. Ramesh alzó el cuerpo inerte de Kirsty sobre la baranda de estribor y luego subió él.

—Cuando estén más cerca les voy a tirar un par de cuerdas y un chaleco, para mayor seguridad —gritó Cady—. Tal vez tenga que saltar al bote para ayudarles a subir a bordo.

Lani lo miró y sacudió la cabeza.

—¡No seas tonto! No puedes abandonar el barco. Si pasa algo yo no sabré qué hacer... Déjame hacerlo a mí y no discutas, Cady, sabes que tengo razón.

Sin esperar respuesta, Lani saltó cuando el bote se acercó a babor, aferrada al chaleco y a dos cuerdas, además de la suya.

Ahora que todos estaban amarrados a sus respectivas cuerdas, la cosa era más fácil. Cady hizo girar el *Manasa* contra el viento, sujetó el timón y viró el barco hacia el lado de sotavento. Ramesh y Lani alzaban a Kirsty. Cuando el bote se colocó sobre una ola, los tres subieron a cubierta temblando de alivio y cansancio.

Dos horas más tarde, Cady y Ramesh tomaban café en la cabina.

—Hemos tenido mucha suerte —murmuró Cady—. Las probabilidades de rescate en esas condiciones son escasísimas.

Ramesh asintió. Estaba agotado, hasta el punto de no poder hablar, pero no quería bajar a su litera.

—Lo que has hecho es extraordinario —continuó Cady—. Conocías los riesgos, ¿verdad?

Ramesh alzó los ojos.

—Sí, los conocía. Pero no había alternativa.

Lani subió por la escalera.

—Quiere hablar contigo, Ramesh. Se está reponiendo.

Ramesh bajó y Lani se sentó en la cabina frente a Cady.

—Qué noche —murmuró.

—En cierta forma me alegra que haya ocurrido —sonrió él—. Ahora estamos más unidos; hemos compartido el miedo.

Ramesh se sentó frente a la litera de Kirsty.

—No quiero hablar, Ramesh. No sé cómo agradecértelo. Algún día lo haré. Ahora quiero descansar, pero antes quería tenerte junto a mí un rato.

Ramesh no respondió. Permaneció sentado en la minúscula cabina contemplando el rostro relajado y ojeroso de Kirsty bajo la débil luz.

191

● ● ●

A lo lejos se veían los mástiles de dos barcos. Cady miró por los prismáticos.

—Uno es el *Jaloud*. El otro una goleta de las islas.

Media hora más tarde encendieron el motor y arriaron las velas. Kirsty cogió el timón mientras Ramesh estudiaba el mapa y Cady inflaba el bote. Al acercarse al canal Ramesh se hizo cargo del timón y Kirsty de los prismáticos. El *Jaloud* estaba a medio kilómetro de distancia, cerca de la playa. Lascelles y Carlo estaban sentados alrededor de una mesa en cubierta. En la playa, tres canoas y dos botes inflables. Detrás de las palmeras y casuarinas, una pequeña casa. Los techos eran de paja. Kirsty dejó los prismáticos y miró a Ramesh.

—¿Podemos anclar?

—Sí. Nos colocaremos a babor —respondió Ramesh.

Kirsty se giró hacia Cady:

—Bajemos.

Carlo y Lascelles contemplaban el *Manasa* con interés. Sobre la mesa había restos de comida y varias botellas de cerveza. Carlo silbó suavemente al ver a la muchacha morena en bikini que iba a la proa y soltaba el ancla. Cuando el *Manasa* estaba a la altura del *Jaloud* y a unos cuarenta metros de distancia, Lascelles se levantó y gritó:

—¡Oiga, compañero! ¡No se acerque tanto!

Vio que el timonel alzaba la mano como para disculparse y le decía algo a la chica. El ancla cayó al agua.

Kirsty esperó a que Ramesh apagara el motor, y subió a cubierta. Apoyados en la borda del *Jaloud*, Lascelles y Carlo medían la distancia que los separa-

192

ba. Lascelles la reconoció de inmediato pero su rostro tenía una teatral expresión de curiosidad.

—¡Lascelles! —gritó Kirsty—. ¿Dónde está mi hijo?

Él abrió la boca y estaba a punto de decir algo cuando vio que Cady aparecía detrás de Kirsty.

—Ya te lo dije, mujer. Tu hijo está muerto. ¿Qué diablos haces por aquí?

Kirsty fue a la popa, sin quitarle los ojos de encima. Estaban muy cerca, no era necesario alzar la voz.

—Vine a hacerte esta pregunta, Lascelles, y te seguiré hasta que me digas dónde está mi hijo.

Lascelles y Carlo la miraban como si fuera un elefante en una cacharrería.

—¡Maldita chiflada! —murmuró Lascelles—. Tu hijo está muerto. ¿Has oído? ¡Muerto!

Kirsty no contestó. Extendió una mano para acercarse una silla de lona, se sentó y cruzó las piernas. Sus ojos seguían clavados en los de Lascelles.

Tras un instante él apartó sus ojos de aquella mirada implacable, soltó un gruñido de desdén y miró a Cady, apoyado en el palo mayor con los brazos cruzados. Sonrió y le dio un codazo a Carlo.

—Oye, niño bonito. ¿Sigues buscando camorra?

Cady no se movió. Habló sin alzar la voz, pero sus palabras llegaron con claridad.

—¿Te estoy provocando?

—Si no lo haces te irá mejor —dijo Carlo con desdén—. En esta isla no hay hospital.

Un hombre con unos pequeños pantalones desteñidos y chaleco apareció en la playa. Lanzó un bote al agua y remó hasta el *Manasa*. Al llegar sacó los remos del agua y alzó los ojos hacia cubierta.

—Soy Henri Daubin, administrador del puerto. Bienvenidos a Poivre.

Ramesh cogió la cuerda, la sujetó, y se presentó.

—Suba, le invitamos a un trago.

Era un hombre menudo, moreno y esbelto, casi calvo. Ramesh le presentó a los demás y le sirvió un whisky. Todos se sentaron.

—¿Están de vacaciones, recorriendo las islas? —preguntó Daubin.

—Sí y no —dijo Ramesh. Miró a Kirsty y añadió—: Queremos hablar con Lascelles. El hijo de la señora Haywood cayó por la borda del *Jaloud* hace un par de meses. Eso dice él, pero ella no le cree.

—Sí —asintió Daubin—. Estoy al corriente.

—¿De veras? —preguntó Kirsty, sorprendida.

Daubin asintió y señaló la goleta.

—Una goleta vino de Mahe hace un par de días. Las islas están muy distantes unas de otras, pero las noticias siempre llegan. Me contaron la historia de la señora que busca a su hijo y del rubio grandote que peleó con Lascelles. —Miró a Cady con simpatía—. En estas islas, los trabajadores se trasladan de una isla a otra y no van a Mahe muy a menudo. Es una sociedad extraña, y las noticias viajan como si las llevara el viento. A veces llegan hasta las islas Mauricio y Comores, a mil quinientos kilómetros de aquí. —Miró a Lani—. Tú eres la muchacha que viajó de polizón desde las Maldivas. —Sonrió—. Te comprendo. Estuve allí una vez. —Vació su vaso y Ramesh le sirvió de nuevo—. ¿Se quedarán mucho tiempo aquí?

—Mientras esté el *Jaloud*.

Kirsty se inclinó en su asiento y le explicó su plan. Daubin no mostró escepticismo. Miró hacia el *Jaloud*. Lascelles y Carlo jugaban a las cartas y echaban furtivas miradas hacia el *Manasa*.

—Conque lo perseguirá —musitó Daubin—. Hace treinta años que trabajo en las islas. He visto cosas muy extrañas, y reacciones muy extrañas también. Todo es posible. El *Jaloud* zarpa mañana hacia Denouf. Parece que a los pasajeros de Lascelles no les interesan nuestros pájaros. De ahí irán a Farquhar y después Aldabra. Han llegado en buen momento. La goleta ha traído la noticia de que la esposa de uno de los trabajadores acaba de dar a luz. Es su primer hijo. Esta noche lo celebraremos. Quedan invitados.

—¿Lascelles irá? —preguntó Kirsty.

—No —dijo Daubin con energía—. El año pasado, en una borrachera, golpeó a un nativo. Le hemos prohibido el desembarco en la isla. Los otros sí estarán: los ornitólogos, la tripulación de la goleta, tal vez Carlo. La tradición exige que invitemos a todos los que tienen permiso para desembarcar.

—Gracias, pero me quedaré aquí —dijo Kirsty.

Daubin la miró sorprendido, pero enseguida comprendió. Después miró a Ramesh.

—¿Necesita algo? Tienen suerte, aquí hay agua de sobra. No muy buena, pero sí potable.

20

Ramesh se quedó con Kirsty. Había tratado de convencerlo de que fuera a la fiesta con Cady y Lani, pero él se negó rotundamente y, a decir verdad, no había insistido mucho.

Sentados en cubierta tomaban una copa y contemplaban la puesta de sol. Aquella tarde Cady y Lani habían salido a pescar en bote. Entre otras piezas, habían sacado un gran mero rojo. Kirsty lo marinó con jugo de limón y hierbas y asó en el horno. El pescado era su comida preferida y, mientras lo preparaba, sus pensamientos habían vuelto a Nueva York, cuando iba con Larry al pequeño restaurante de Greenwich Village donde comían camarones al coñac. Se preguntó qué harían en aquel momento Larry e Irving y los demás. Últimamente pensaba muy poco en Nueva York y no sentía la menor nostalgia.

Miró la silueta amenazante del *Jaloud*, con su negro casco y sus mástiles sin velas.

Carlo estaba sentado en cubierta con un vaso en la mano. Aquella tarde, cada vez que Lascelles salió a cubierta se encontró con la mirada de Kirsty. Finalmente había optado por ocultarse en la cabina. Kirsty sabía que lo estaba trastornando, y era una sensación agradable.

Sentado a su lado, Ramesh aspiró el aroma que venía de la cocina y suspiró con placer.

—Realmente se me hace la boca agua.

Iba a responder, cuando él le señaló el horizonte.

Una franja verde destelló a lo lejos, brillante, fugaz, sobrecogedora.

—¡Un deseo, Kirsty! ¡Formula un deseo! —exclamó Ramesh—. Es una señal de buen agüero; se ve muy pocas veces. —Sonrió—. Creo adivinar lo que has deseado... Yo he pedido lo mismo. Pero he añadido un segundo deseo. ¿Quién sabe si no se cumplirán los dos?

Emocionada, Kirsty extendió el brazo y le cogió la mano.

—Dime tu segundo deseo, Ramesh.

En el momento de preguntarlo le asaltó una duda. En realidad sabía cuál era aquel deseo, porque ella también lo había formulado. Temía haber molestado a Ramesh. Nada de eso: Ramesh le apretó la mano y replicó sin vacilar:

—Que después de encontrar a Garret no nos separemos.

Ella no respondió. Miró a lo lejos durante un largo rato y finalmente le soltó la mano y bajó a la cocina.

No le permitió ayudarla. Puso la mesa sola, abrió una botella de vino frío y sirvió los platos. Sentados en cubierta, ella de frente al *Jaloud*, Ramesh llenó las copas de vino y alzó la suya:

—Por los oficinistas.

—¿Cómo?

—Por los oficinistas. Tú y yo fuimos oficinistas, Kirsty. Brindemos por ellos, por todos los oficinistas del mundo, para que en algún momento de sus vidas puedan gozar de semejante paz.

Ella sonrió y bebió. La escena era paradisíaca. Se encontraban a pocos metros de una playa bordeada de palmeras, iluminada por la luna. Desde la orilla llegaban los sonidos distantes de la fiesta. Y frente a ella estaba sentado un hombre que le resultaba terrible-

197

mente atractivo. La luz vacilante de la lámpara de queroseno colgada de la botavara acentuaba los rasgos de su rostro moreno, su nariz delgada y aguileña, su mandíbula firme.

Comían en silencio; sólo se oían los suspiros satisfechos de Ramesh entre bocado y bocado.

Kirsty sacó la mesa, sin aceptar ayuda, preparó café y lo llevó a cubierta.

Conversaron durante un largo rato, sentados junto a la borda de popa.

Hablaron de sus vidas. Ella, de su matrimonio y la infancia de Garret. Él, de su vida en Bombay, los prejuicios contra los anglohindúes, el estoicismo de su madre. De la muchacha de Goa, de su frustración e impotencia ante el fracaso de su romance. Una vez más ella percibió el cambio que se había operado en aquel hombre desde el día en que lo conoció. Era amable, incluso un poco tímido, pero la fuerza que latía en su interior se volvía casi palpable.

—Ramesh —dijo por fin—, no pretendo ocultar lo que siento por ti. Lo sentí el día que nos conocimos y se ha intensificado... minuto a minuto. No creas que soy una mujer fría o que desprecio tus sentimientos. Pero el momento... la situación...

—Lo sé. No te preocupes, Kirsty.

Ella cogió aliento y prosiguió:

—Hasta hace unos días creía que nunca volvería a amar a nadie. Creía que esa parte de mi corazón había muerto. Tú me has demostrado que no es así. Pero no quiero pensar en esto, ni siquiera mencionarlo después de esta noche. Ramesh, me asusta mi debilidad. Me asusta pensar en mí misma y no en mi hijo.

De la orilla venían los ruidos de la fiesta, pero Kirsty miró su reloj. Era casi medianoche y decidió irse a dormir.

—La cena ha estado deliciosa —dijo él muy solemnemente, y se apartó para dejarla pasar.

Ella se detuvo un instante y le acarició la mejilla con afecto.

Cuando estaba a punto de bajar oyó voces y vio dos siluetas en la cubierta del *Jaloud*. Lascelles arrastraba la voz: evidentemente, estaba borracho.

—Está bien, joder. Ve si quieres.

—Claro que sí —replicó Carlo en tono desafiante—. Se nos ha acabado la cerveza. Allí hay litros de *calou*... y está esa hembrita china... Hace días que no me llevo una a la cama.

Bajó el bote y Lascelles murmuró algunas palabras por encima de la borda.

—De acuerdo, de acuerdo —dijo Carlo—. Te traeré una botella.

Kirsty volvió donde estaba Ramesh.

—Va a haber problemas —dijo, asustada—. Si trata de sobrepasarse con Lani, Cady estallará.

—Sin duda. ¿Quieres bajar a tierra?

Kirsty vaciló, luego negó con la cabeza.

—No, pero tampoco me iré a dormir. Traeré más café.

Había sido una fiesta sencilla y divertida. Montañas de comida y ríos de bebida. Había una decena de trabajadores de la plantación, pero las únicas mujeres eran Lani y la esposa de Daubin, una mujer regordeta y alegre. Tras la comida tuvieron que bailar con todos los hombres, incluidos los tres ornitólogos. Eran ingleses de mediana edad y muy solemnes, pero después de un par de vasos de *calou* se relajaron y participaron de la diversión.

Cady bebió poco y se dedicó a mirar a Lani, que bailaba con el capitán de la goleta. Se sentía como un adolescente. Sólo había bailado una pieza con Lani, pero ella había dejado bien claro a los demás quién era su pareja. Después de cada canción volvía a su lado con naturalidad y sin la menor timidez. Aunque no habían tenido oportunidad de mantener una conversación íntima, Cady se sentía absolutamente a gusto con ella. Cada vez más.

Durante la noche había conversado con los tres ornitólogos. Estaban al tanto del problema de Kirsty y la compadecían. Su proyecto consistía en preparar el terreno para la instalación de una base científica permanente en las islas. Estaban hartos del *Jaloud*: la pésima comida, la suciedad, las borracheras y la agresividad de Lascelles y Carlo.

Al encontrarse con la otra goleta habían querido contratarla, pero tenía que volver a Mahe por la mañana, con una carga de copra. Sin embargo enviarían una carta a los dueños y, si éstos aceptaban la oferta, el capitán volvería a recogerlos en Farquhar o Aldabra. Mientras tanto pasarían el mayor tiempo posible en tierra.

Lani había dejado de bailar y, sentada junto a Cady, se abanicaba el rostro, cuando llegó Carlo. La gente estaba sentada en semicírculo frente al trío de músicos, dejando un espacio libre para bailar. Henri Daubin estaba junto a una mesa llena de botellas y vasos. Se levantó y le sirvió un vaso a Carlo.

—Es *calou*... todo lo que queda.

—Gracias.

Carlo vació la mitad del vaso de un trago. El trío tocaba y la esposa de Daubin bailaba con un tripulante de la goleta, pero el clima festivo se había desvanecido.

Carlo recorrió el lugar con la mirada, indiferente a la inquietud provocada por su presencia. Vio a Cady y a Lani con los ornitólogos. Se acercó, saludó a los ornitólogos con una breve inclinación de cabeza y, haciendo caso omiso de la presencia de Cady, se dirigió a Lani:

—¿Bailas?

Ella negó con la cabeza y desvió los ojos. Carlo la miró de arriba abajo.

—¿De dónde eres? ¿De Cantón?

Al ver que los ojos de ella se alzaban, sonrió, dijo algo que los demás no comprendieron. Ella lo miró, sorprendida, y negó vigorosamente con la cabeza.

—No tengo ganas de bailar —dijo, cortante.

Los músicos habían dejado de tocar. Carlo la miró unos instantes, luego le dirigió una sonrisa desdeñosa y agregó un comentario en la misma lengua que había hablado antes.

Lani se levantó de un salto. La bofetada resonó en todo el cobertizo.

Carlo retrocedió unos pasos, con la boca torcida en una desagradable mueca. Cady preguntó a Lani:

—¿Qué te ha dicho?

—¡Me ha llamado puta! —dijo ella, con odio en los ojos y la voz.

Cady la apartó suavemente y miró a Carlo:

—Esto te va a costar muy caro.

La sonrisa de Carlo se volvió más torva.

—Recuerda lo que te dije, niño, aquí no hay hospital. Si te metes conmigo te irá peor que con Danny. —Apuntó el mentón hacia Lani y rió—: Cuando acabe contigo la chinita probará lo que se merece.

Una docena de hombres lo rodeó, amenazantes.

—Vuelva a su barco —dijo Daubin—. No lo queremos aquí.

Carlo no le hizo caso. Miró a Cady y rió otra vez:

—Esta vez tienes escolta, ¿eh?

Cady miró a Daubin. Éste vaciló y dijo algo en criollo. Los hombres retrocedieron y formaron un amplio círculo en torno a los dos hombres.

—Ven aquí, hijo de puta —dijo Cady, con voz ronca, y avanzó un paso. Sin dejar de sonreír, Carlo se agazapó y adelantó el hombro izquierdo.

Cady avanzó un poco más, muy erguido. Cuando Carlo lanzó la izquierda en gancho, la esquivó con un movimiento de cabeza.

Se oyó un ruido sordo y el cuerpo de Carlo se dobló; la rodilla de Cady se estrelló contra su cara indefensa con un crujido de huesos y Carlo cayó hacia atrás, con los brazos abiertos.

—¡Arriba! —dijo la voz fría de Cady.

Carlo rodó de costado y se incorporó. Le sangraba abundantemente la nariz rota. De pronto dio un grito salvaje y se lanzó de cabeza contra Cady.

Éste lo esquivó de nuevo y le golpeó la nuca con ambas manos.

—¡Arriba! —gritó otra vez.

Carlo había caído bajo una mesa. Jadeaba. Había temor y sorpresa en su mirada. Salió, se levantó con esfuerzo y trató de recuperar el aliento. La sangre y el polvo enmascaraban su rostro.

Bruscamente se apoyo en la mesa, haciendo tintinear los vasos. Lani sofocó un grito de espanto al ver que se aferraba a una botella, la rompía y avanzaba con los filosos bordes hacia Cady.

Pero éste aprovechó la desesperación de Carlo. Esquivó la embestida y se abalanzó sobre el brazo armado. Le agarró la muñeca con ambas manos y la estrelló contra su rodilla.

El brazo de Carlo se rompió como una rama seca. Con un gemido de dolor, el portugués cayó sobre el polvo.

—¡Arriba! —exclamó Cady.

Carlo dirigió una mirada suplicante a Daubin y los demás.

—¡Arriba! —repitió Cady, avanzando hacia él.

Carlo se puso de rodillas y luego se levantó trastabillando. Trató de esquivar a Cady, pero éste lo arrojó contra uno de los postes y le propinó un tremendo gancho a la mandíbula. Carlo cayó de rodillas y dio con su cara contra el polvo, inconsciente.

Daubin y los isleños miraron a Cady con respeto, los ingleses con estupor reverente. Lani se acercó a Carlo, que estaba volviendo en sí, y le susurró unas palabras sibilantes en el oído.

La luna estaba muy alta en el cielo y, desde la cubierta del *Manasa*, Kirsty y Ramesh alcanzaron a ver un grupo de personas que se acercaban a la playa. Parecían cargar un objeto pesado. Lo pusieron en un bote y varios remeros lo transportaron al *Jaloud*. Otro bote se dirigió al *Manasa*.

Cady y Lani llegaron y subieron a bordo.

—¿Qué ha pasado? —preguntó Ramesh.

—Espera —dijo Cady.

Vieron cómo el otro bote se arrimaba al *Jaloud*. Alguien llamó a Lascelles, quien apareció en cubierta al cabo de unos instantes. Con esfuerzo subieron el cuerpo de Carlo. Después el bote volvió a la isla.

Kirsty preparó más café y Cady bajó a lavarse. Mientras tanto Lani narró a Kirsty y Ramesh el incidente de la fiesta.

Kirsty recordó lo que había dicho Jack Nelson: que Carlo era el único hombre a quien Lascelles no había podido vencer en una pelea.

—¡Ha sido coser y cantar! —dijo Lani—. Ese *lap sap* es un cobarde. Cady le ha dado una soberana paliza.

—¿Qué quiere decir *lap sap*? —preguntó Ramesh, y Lani sonrió con picardía.

—Mugre, basura. Ese *lap sap* me ha llamado puta y Cady me ha vengado—. Sus ojos brillaban de emoción.

Pero Cady no compartía la alegría de los demás. Pensaba que había cometido un error. Lascelles no volvería a exponerse. Seguramente recurriría a las armas en el siguiente enfrentamiento.

Kirsty y Ramesh pensaban que la derrota y humillación de su secuaz tal vez contribuyera a doblegarlo.

El único problema, para Kirsty, era que Lascelles quisiera volver a Mahe para que le curaran el brazo roto a Carlo.

Cady la tranquilizó. Era una fractura simple. Daubin le había enyesado el brazo. Carlo permanecería en el *Jaloud*, que al día siguiente zarparía hacia Desnouf con los tres ingleses.

La persecución continuaría.

21

Se reinició una hora después del amanecer. Los "pajareros" como los llamaba Lani, bajaron a la playa con su equipaje y Daubin los llevó en un bote hasta el *Jaloud*. Lascelles subió a cubierta y miró hacia el *Manasa*, cuyos tripulantes estaban desayunando. Miró primero a Cady, luego a Kirsty.

—No es el mismo de ayer —murmuró Ramesh.

Una vez que los ornitólogos subieron a bordo, Lascelles fue al timón e, instantes más tarde, el escape del *Jaloud* exhaló una nube de humo azulado. Uno de los ornitólogos fue a la proa a levar el ancla.

—Manos a la obra, Cady —dijo Ramesh con la boca llena.

Diez minutos más tarde el *Jaloud* se alejaba de la isla a una velocidad de seis nudos. El *Manasa* lo seguía a doscientos metros de distancia. Ramesh observó, perplejo, que en lugar de navegar por el centro del canal, el *Jaloud* avanzaba por el borde derecho, casi rozándolo. Seguramente debía de ser más seguro por ahí; Lascelles había estado muchas veces en la isla. Ramesh consultó el mapa de Dave y vio dos crucecitas dibujadas con tinta y la anotación "Escollos de coral, no señalados".

De modo que era un ardid. Lascelles sabía dónde estaban y guiaría al *Jaloud* entre los escollos con la esperanza de que Ramesh, ignorante de su existencia, lo siguiera y el *Manasa* encallara en ellos.

Ramesh sonrió. Siguió al *Jaloud* y, cuando faltaban cincuenta metros para llegar a los escollos, viró el timón y enfiló el *Manasa* al centro del canal.

Lascelles no vio esa maniobra, concentrado en el timón. Bruscamente viró el *Jaloud* a un lado y otro. Luego se dio la vuelta para ver qué pasaba con el *Manasa*: navegaba tranquilamente por el centro del canal.

Media hora más tarde la alegría reinaba en el *Manasa*. El viento, fuerte y uniforme, los impulsaba desde el lado de estribor y el *Jaloud* los precedía a menos de cien metros de distancia. Durante media hora los barcos navegaron sólo con las velas y Ramesh observó encantado que el *Manasa* no tenía la menor dificultad en seguirle el paso al *Jaloud*, a pesar de su menor envergadura. Lascelles cambió varias veces el rumbo, pero ya fuese con el viento de lado o directamente en popa, el *Manasa* siempre mantuvo la distancia. Por fin Lascelles puso rumbo hacia Denouf y encendió el motor, y Ramesh lo imitó.

—Ahora lo perderemos —murmuró Cady, pero la distancia entre ambos barcos no aumentó.

—¡Qué os parece! —exclamó Cady. Dio una palmada a la borda y le sonrió a Ramesh con picardía—. ¡Esto no va a mejorarle el humor a Lascelles!

Tenía razón. Ramesh no le permitía alejarse y cada vez que Lascelles se volvía a mirar, ahí estaba Kirsty con sus ojos clavados en él. Por fin apagó el motor y bajó a la cabina. Un ornitólogo quedó al timón y alzó la mano en un gesto amistoso. Ramesh también apagó el motor y las dos naves siguieron su rumbo en silencio.

● ● ●

Cady y Lani lanzaron un par de anzuelos para pescar el almuerzo y apostaron a quién sacaría primero. Los dos gritaron al mismo tiempo. Cady sacó el suyo antes, pero Lani insistía en que su pez había picado primero.

Llegaron a Desnouf en plena tarde y, al igual que en la isla Bird, vieron una manada de golondrinas a lo lejos.

Siguieron al *Jaloud* al fondeadero y anclaron a cuarenta metros de distancia, lado a lado. Lascelles se dedicó a asegurar su barco sin mirar una sola vez hacia el *Manasa*. En dos ocasiones Kirsty le gritó: "Lascelles, ¿dónde está mi hijo?" Él no respondió. Sentada cerca de la popa, ella se dedicó a mirarle, serena e impasible.

Los ornitólogos cargaron un bote con su equipo y remaron hacia el *Manasa*.

—Vamos a dormir en tierra —dijo uno de ellos con mirada astuta—. Mañana salimos rumbo a Farquhar.

Ramesh murmuró algo al oído de Lani, quien asintió.

—Vengan a cenar con nosotros esta noche, alrededor de las siete. Comida china —propuso Ramesh.

—¡Encantados! —respondió un trío de voces entusiastas.

Lani los había bautizado Rojo, Castaño y Blanco, por el color de su cabello, agregando con picardía que sólo distinguía a un occidental de otro por el pelo.

—Lascelles no es precisamente un tipo agradable —dijo uno de los ornitólogos durante la cena—, pero desde hace un par de días parece una caldera a punto de estallar. Deberán actuar con cuidado. No soy psicólogo, pero creo que este sujeto podría ser peligroso. En mi opinión, es un psicópata. —Calló un instante y luego agregó—: Tiene un equipo de buceo, y nada muy bien.

Ramesh y Cady asintieron al unísono. Aquella tarde habían contemplado la posibilidad de que Lascelles tratara de dañar al *Manasa*.

Para disuadirlo hicieron una ostentosa exhibición. Ramesh sacó a cubierta un enorme arpón de tres puntas.

Lascelles y Carlo estaban sentados en la cubierta del *Jaloud*; el portugués tenía el brazo derecho enyesado y la cara hinchada y amoratada. Ambos vieron cómo Cady apoyaba el arpón en la borda y se dirigía a su amigo.

—Tienes razón, Ramesh. Con un par de lámparas colgadas de la borda se ve hasta el fondo. Podremos interceptar cualquier cosa que se acerque a menos de tres metros del barco. —Miró a Lascelles con una sonrisa maligna—. Tal vez pesquemos algo gordo.

Lascelles murmuró algo a Carlo, con expresión hosca.

—Cady y yo haremos guardia esta noche —dijo Ramesh—. Este fondeadero no me gusta. Estamos demasiado expuestos a cualquier viento fuerte.

—Tiene razón —dijo Castaño, uno de los ornitólogos. Se volvió hacia Kirsty—. Su historia me fascina. Sé que debe de estar angustiada y, si prefiere no hablar de eso, lo comprenderé perfectamente. —Sonrió con dulzura. Era un hombre menudo y regordete, con lentes gruesas y expresión seria—. Sucede que me interesa mucho el fenómeno de la percepción extrasensorial. Lo he estudiado a fondo y sostengo la teoría de que los pájaros y los mamíferos pueden comunicarse por este medio.

—Ya empezamos —dijo Blanco, y guiñó el ojo—. No sabe hablar de otra cosa.

Pero Kirsty lo miró con mucho interés.

—He leído algo sobre eso. Muy poco, en realidad. ¿De veras ha estudiado esta clase de fenómenos?

Castaño asintió y durante veinte minutos explicó algunos principios generales. Habló de los experimentos científicos realizados en Europa y Estados Unidos y le preguntó a Kirsty si alguna vez había sentido que se comunicaba con su hijo.

—Sí —murmuró ella—. A veces. Una mañana, en Dar es Salaam, me desperté muy temprano. Bueno, creo que no estaba despierta del todo. Pensaba en Garret y tuve una extraña sensación. Como si él estuviera muy cerca, incluso en el mismo cuarto... y... —Miró a los otros, en busca de expresiones de incredulidad.

—Siga, siga —dijo Castaño.

—Bueno... era como un olor. Un olor a hospital... éter y esas cosas. Me asusté. Siempre me asusto al imaginar a Garret en un hospital... —Su voz se tornó un susurro—. Su grupo sanguíneo es muy raro.

Castaño se reclinó en su asiento con expresión impenetrable.

—Claro que podría ser una asociación de ideas del pasado —musitó—. Pero también... bueno, es fascinante.

Concluida la cena, Lani recogió la mesa.

Luego hablaron de pájaros y de la fauna de las islas en general. Rojo dijo que las islas que habían estudiado hasta aquel momento sólo interesaban a ciertos especialistas, lo mismo que las colonias de golondrinas de la isla Bird. Su verdadero destino era Aldabra, y cuando la mencionó sus ojos brillaron de emoción. Permanecerían allí durante varias semanas. Era uno de los sitios más interesantes del mundo. Estaba prácticamente intacto, debido a su aislamiento y su ecosistema, hostil al hombre. De ahí el desarrollo extraordinario de su flora y fauna.

—Hay una gran laguna —dijo—, que se vacía durante la bajamar y se llena nuevamente en la pleamar, y de hecho es una gran cloaca natural. Decenas de miles de tortugas, tanto marinas como terrestres, conviven con gigantescos cangrejos comedores de cocos y la pequeña raíl, ave no voladora emparentada con el avestruz, el emú y el extinto dodo. Animales que sólo en Aldabra han podido sobrevivir a las masacres perpetradas por los hombres.

Existían rumores de que el Ministerio de Defensa británico quería convertir a Aldabra en una gigantesca base aérea en el Extremo Oriente. Los ornitólogos tenían la misión de calcular los posibles daños al ecosistema. Pasarían un mes en la isla, pero sabían de antemano cuál sería la conclusión de su informe: que no se debería instalar la base. Su entusiasmo y elocuencia atraparon a todos.

Más tarde, cuando los huéspedes se despidieron con grandes muestras de agradecimiento y remaron hacia la costa, Cady y Ramesh encendieron las luces y las bajaron hasta la línea de flotación; el casco negro del *Jaloud* quedó fuertemente iluminado.

Kirsty durmió poco aquella noche. Tendida de costado en su litera, fue presa de sentimientos diversos. Garret y Ramesh se le aparecieron en sueños.

Cada dos horas sentía vibrar el barco, cuando Cady o Ramesh encendían el motor durante quince minutos para recargar la batería y mantener encendidas las luces.

22

Durante la primera noche de navegación rumbo a Farquhar, Kirsty se sentó en la cubierta de proa a contemplar las velas negras del *Jaloud*, a un par de cientos de metros de distancia. Tenía la certeza de que el plan daría resultado. Sentía que navegaba hacia Garret, que se acercaba a él con cada salto del *Manasa* sobre las olas. Por primera vez desde su partida de Nueva York se sentía serena. El mar y el avance lento pero constante del *Manasa* habían mitigado su impaciencia. Decidió entonces que cuando todo hubiese acabado, no se alejaría del mar. Se había convertido en una compañía necesaria.

La tercera noche se despertó al amanecer. Lani dormía profundamente.

Kirsty cruzó el salón y se asomó a la escalera.

—¿Café, Ramesh?

—Ni que leyeras mis pensamientos, Kirsty.

Lo llevó a cubierta, puso la taza frente al timón y se sentó a un lado. La brisa era suave y el *Manasa* navegaba lentamente. Sólo se oía el golpeteo de las olas contra la proa. Hacia el este, el cielo empezaba a clarear.

—Ramesh, quiero pedirte disculpas. Supongo que he estado muy hosca últimamente.

Él la miró y sus dientes brillaron al sonreír.

—No importa, Kirsty. De todas maneras no pareces desanimada, y esto me alegra.

—Yo diría que siento todo lo contrario. Me siento en paz. Creo que se lo debo al mar. Me hacía mucha falta.

Él calló unos instantes, antes de responder.

—Te comprendo, porque siento lo mismo. En el mar uno aprende a ser humilde y paciente. Esta inmensidad... calma toda ansiedad...

Kirsty se acercó, le rodeó los hombros con el brazo y le rozó la oreja con los labios. Él giró la cabeza y la besó en los labios, murmurando su nombre.

—Debes tener paciencia, Ramesh —le susurró ella al oído.

—Lo sé —replicó él—. Me lo ha enseñado el mar.

Abrazados, contemplaron el amanecer.

Para Lani, Farquhar resultó ser la más hermosa de las islas. Estaba con Cady en la cubierta de proa cuando el *Manasa* entró en la bahía. La isla tenía la forma de luna creciente y su bahía era el único fondeadero realmente seguro de todas las islas del archipiélago, cualquiera que fuese el estado del tiempo.

Ramesh tuvo una corazonada y ancló a cien metros del *Jaloud*. Todos los tripulantes del *Manasa* tenían la certeza de que la persecución no duraría mucho más.

En Farquhar había un poblado relativamente grande. La primera noche cenaron en la isla con el administrador, Jacques Renée, y los ornitólogos, quienes querían estudiar la colonia de golondrinas de Goulette, un islote cercano. Permanecerían tres días en Farquhar, para disfrutar de las comodidades domésticas de su hospedaje y darle tiempo a la goleta *La Belle Vue* de llegar y liberarlos de Lascelles.

Por la mañana, el *Jaloud* partió hacia Goulette. Volvería aquella misma noche, de manera que Cady y Lani decidieron quedarse en la isla para explorarla, mientras Ramesh y Kirsty mantenían la persecución.

Llegaron a la playa hacia el atardecer, cuando el *Jaloud* entraba en la bahía, seguido de cerca por el *Manasa*.

Sentados en la fina arena blanca, ni Cady ni Lani sintieron prisa por ir al barco.

El sol se perdía en el horizonte y las sombras de las palmeras se alargaban sobre la playa. Finalmente Lani rompió el silencio.

—Creo que ahora deberías besarme.

Cady se recostó lentamente en la arena, y habló con los ojos cerrados.

—Me gustaría —dijo en tono ligero—, pero me asustan las consecuencias.

—No comprendo.

—Soy tan feo que podrías sufrir un infarto.

—¿Feo?

—Eso le dijiste a Ramesh una noche en el barco. Te oí. Dijiste que soy un grandullón... ¡no! Un mono. ¡Dijiste que era torpe y peludo como un mono!

Ella sonrió al recordar.

—También dije que me acostumbraría, ¿recuerdas?

—Claro... ¡como te has acostumbrado al pastel de cerdo!

Su sonrisa se volvió más amplia.

—Claro que eres feo, Cady. Indescriptiblemente feo. Pero no me importa. Quiero que me beses. —Y se inclinó sobre él, hasta que su rostro estuvo a pocos centímetros del de Cady y él sintió el roce de sus labios en los suyos.

Su boca se abrió, la lengua de ella le rozó los labios y avanzó, como una flor que se abre.

Lani alzó la cabeza para mirar a Cady, que llevaba el torso descubierto. Le acarició la mata de vello rubio.

—Mi grandullón —susurró—. Mi mono feo y peludo.

Él la estrechó nuevamente, se besaron y rodaron por la arena.

—Dime por qué me besas si soy tan feo.

—Además de feo, eres tonto, como todos los grandullones —replicó Lani, con la cabeza en la arena—. ¡No podría besar a un hombre tan feo si no lo amara!

La carcajada de Cady resonó en la playa desierta, pero enseguida se puso serio.

—¿Por qué me amas?

Ella pensó largamente antes de responder.

—Porque hay un equilibrio en ti: *yin* y *yang*. —Al ver su expresión perpleja, añadió—: Eres muy fuerte, muy duro. Un verdadero grandullón. Esto seduce a algunas mujeres, pero no a mí. Tiene que haber un contrapeso. El *yin* es lo femenino, el *yang* lo masculino. Tienen que estar equilibrados, y lo están en ti. Eres acero y algodón a la vez. Lo uno no existe sin lo otro. Juntos hacen una totalidad, y esta totalidad es lo que amo.

Cady calló un instante y preguntó:

—¿Y por qué te amo yo a ti? Dímelo, ya que eres tan sabia.

—Por que el *yang* que hay en ti quiere protegerme. Porque te parezco hermosa. Porque necesitas amar a alguien como yo. Porque el *yin* que hay en ti responde a mi amor. —Calló un instante y luego añadió, muy seria—: Porque ambos hemos sabido más de nosotros mismos al conocernos. Y basta de palabras. ¿No bastan los sentimientos?

—Sólo una cosa. Nunca hice el amor con una chica virgen.

Ella sonrió, se estiró sensualmente sobre la arena, le pasó los brazos por el cuello y lo besó.

—Grandullón, cerraré los ojos para no ver tu fealdad. Haz lo que tienes que hacer y cuando vuelva a abrirlos, serás hermoso.

Lani cerró los ojos con fuerza y arqueó el cuerpo para que Cady pudiera quitarle los pequeños pantalones y la minúscula bombacha blanca. Su respiración se aceleró con las caricias que recorrían sus pechos, su

214

vientre y la caverna suave, sedosa y húmeda entre sus muslos.

Hubo una breve interrupción mientras él se quitaba sus pantalones cortos. Luego la penetró lentamente, con un gemido de placer. Al notar un gesto de dolor en su rostro, Cady vaciló pero Lani gimió y arqueó su cuerpo contra el de él.

Sus cuerpos se estremecieron al unísono, jadeantes y húmedos. Y ella le susurró al oído:

—Eres hermoso, mono peludo.

Aquella noche cenaron en la playa con Renée y los ornitólogos. No había que preocuparse por el *Manasa*, firmemente anclado a treinta metros de la costa. Las luces colgadas de las bordas lo iluminaban incluso bajo la quilla. Cada dos horas Cady o Ramesh remaban hasta allí para recargar las baterías.

Cady ya era un héroe. Los ornitólogos habían relatado la pelea con Carlo, hombre tan odiado como su patrón. Los nativos le palmeaban la espalda y se aseguraban de que en ningún momento le faltara *calou*.

Habían sacrificado un cerdo para la cena. Habían encendido el fuego en un gran hoyo cavado en la arena, recubierto de piedras. Sobre el hoyo habían colocado una parrilla improvisada para asar el cerdo. Sentados en círculos alrededor del fuego escuchaban a uno de los ancianos de la tribu, que cantaba y tocaba el "zeze". Los trabajadores sonreían con picardía y estallaban en carcajadas al final de cada estrofa.

Kirsty estaba sentada entre Renée y Ramesh.

—¿Qué dice la letra? —preguntó.

—Casi todas las canciones son de tono subido —dijo Renée. Sonrió y la miró de reojo—. Se la traduciré, si no se ofende.

—No me ofendo fácilmente.

—Se trata de una muchacha llamada Anne-Marie que es un poco... ligera de cascos. Está de visita en una isla. Un día el administrador trata de dar la vuelta a una tortuga sobre la playa y se hace daño. Ella corre a ayudarlo. Y la letra dice así:

Renée dijo algo en criollo y el viejo volvió a cantar. Ramesh se inclinó para escuchar la traducción.

—*Dime dónde te duele.*

—*Tócame, Anne-Marie, y te lo diré.*

Me tocó, y me cubrí de sudor frío.

—*Pero dime dónde te duele.*

—*Tócame, Anne-Marie, te avisaré cuando llegues al punto.*

Ella me palpó.

—*¿Aquí?*

—*¡No!*

—*¿Ahí?*

—*No... tócame, Anne-Marie. ¡Rápido, no soporto más el dolor! ¡Más abajo, más abajo!*

—*No temas.*

—*¡Aaaah! ¡Ahí! ¡Otra vez, otra!*

Renée miró a Kirsty con una sonrisa pícara.

—¿La he ofendido?

—A mí no —sonrió—, pero creo que a Ramesh sí.

El rostro sonrojado de Ramesh miraba hacia la playa.

—¡Sólo quería ver si había alguna tortuga por ahí! —exclamó.

Se sirvieron la carne de cerdo sobre hojas de palmera y se la comieron con los dedos, junto con trozos de calabaza preparada en una salsa dulce. Fue una cena deliciosa y luego todos fueron a lavarse las manos en la laguna. Se sentaron otra vez alrededor del fuego y el viejo cantó varias canciones más.

Lani y Cady estaban apartados de los demás. La mano de ella se apoyaba como al descuido sobre el muslo de él. Kirsty les miró unos instantes y luego le dijo a Ramesh:

—Creo que ha llegado la hora de ceder mi litera a Cady.

Él giró la cabeza, sorprendido.

—¿Cómo? No comprendo.

—Mira —dijo, señalándoles con el mentón—. ¿Qué te parece?

Miro a la pareja unos instantes y una sonrisa le iluminó la cara.

—Me parece que están enamorados.

—Ramesh, ya son amantes.

—¡Pero Lani es virgen!

—Era. Ahora es mujer.

Ella se giró para mirarlo. Ramesh seguía observándoles. Finalmente asintió.

—Creo que tienes razón, Kirsty.

—¿No te sentirás incómodo si compartimos el camarote?

Ramesh frunció los labios y replicó, muy serio:

—Bueno, digamos que haré un gran esfuerzo por contenerme y me concentraré en otras cosas.

—¿En qué?

—En Aldabra, tal vez, y en esos maravillosos animales que la habitan. Sobre todo en las tortugas gigantes... ¡que podrían hacerme daño si trato de darles la vuelta!

23

Cady sacó las armas, las descargó, las engrasó cuidadosamente y recargó y las dejó en el cajón largo, poco hondo y sin tapa que había puesto junto a la escalera. No se veía desde cubierta, pero estaba prácticamente al alcance de la mano, incluso desde el timón.

El *Manasa* se hallaba a cien metros de la costa noroccidental de Aldabra. Los demás habían bajado a tierra. Habían decidido no perseguir al *Jaloud* durante la travesía de cuatro días, sino adelantársele y estudiar la isla antes del enfrentamiento definitivo.

Pero ya llevaban un día entero allí, y no había señales del *Jaloud*. Kirsty estaba preocupada, y se la habían llevado a tierra para que no pensara tanto en ello. Ramesh le había prometido que si el *Jaloud* no llegaba, al amanecer darían un rodeo a la isla por si estaba anclado en otra parte.

Cuando Cady miró con los anteojos, apareció el *Jaloud*. Estaba a poco más de siete kilómetros de distancia y hasta entonces había permanecido oculto por el borde externo de la bahía. Navegaba lentamente. La brisa era muy suave y Cady pensó que debía de tener algún problema en el motor. Resolvió no llamar a los otros con la sirena, porque con aquella brisa el *Jaloud* tardaría dos o tres horas en llegar.

En la isla, Lani alimentaba con migas de pan a una rara especie de codorniz autóctona.

Aldabra les había fascinado. Apenas soltaron el ancla una bandada de golondrinas fue a posarse en las botavaras de los mástiles. La presencia de los seres humanos no las atemorizaba en absoluto. A Kirsty y Lani les encantó; a Ramesh no tanto.

—Si nos quedamos aquí mucho tiempo me dedicaré al comercio de guano —le había dicho a Cady al ver los excrementos sobre la cubierta.

En la isla contemplaron extasiados las miles de tortugas que dormían a la sombra, las pequeñas codornices que corrían por todas partes y picoteaban las migas que hallaban entre las piedras. Había enormes cangrejos rojos, de pinzas horripilantes, y toda clase de aves: palomas multicolores, golondrinas de mar, pájaros bobos y elegantes garzas. Cuando bajaron a tierra había pleamar, y millares de pájaros revoloteaban y se lanzaban en picado en busca de su ración diaria de pescado.

Kirsty estaba embelesada. De no haber estado tan preocupada por la ausencia del *Jaloud*, se hubiera pasado el día entero explorando la isla.

Por la noche, tendida en su litera a un metro de la de Ramesh, le habló de sus sentimientos.

—Me gustaría pasar una temporada aquí. Nunca he conocido un lugar tan fascinante. A Garret también le gustaría, le encantan los animales y la naturaleza.

Pero ahora el *Jaloud* estaba a tres kilómetros de la costa y se acercaba lentamente. Kirsty lo miró con una mezcla de alivio y temor. Los acontecimientos estaban llegando a un punto culminante, y temía el desenlace.

Subieron a bordo. El *Jaloud* se acercaba a la playa. Carlo estaba al timón, maniobrando con su brazo sano. Lascelles gritaba indicaciones desde la proa. No miró al *Manasa* ni una sola vez. Los tres ornitólogos esperaban el momento de arriar las velas.

Lascelles dijo algo, Carlo giró el timón, el barco viró contra el viento y se detuvo. Bajaron las velas, el ancla cayó al agua a sólo unos ochenta metros del *Manasa*.

Durante una hora los ornitólogos fueron y vinieron del barco a la costa, hasta dejar su equipo amontonado en la playa. Lascelles no los ayudó. Comprobó que el *Jaloud* estuviera bien amarrado, bajó a la cabina y no volvió a aparecer.

Uno de los ornitólogos remó hasta el *Manasa*. Era Castaño, y transpiraba profusamente por el esfuerzo realizado.

Lani le sirvió una cerveza. Con evidente alivio, Castaño dio varios tragos antes de hablar.

—El motor se averió anoche. Parece que es la bomba.

—¿Puede arreglarla? —preguntó Kirsty.

—Lascelles dice que sí. Ha estado todo el día con eso. Mañana estará listo.

—Puede que sea una junta —dijo Cady—. Aunque no tenga una de repuesto, puede improvisarla.

—Hay algo más —dijo Castaño, que no había recuperado el aliento del todo—. El tipo está que brama. Cuando se averió el motor enloqueció, le echó la culpa a Carlo y le golpeó. El otro no podía defenderse. Cuando quisimos intervenir nos amenazó con tirarnos por la borda. —Se detuvo a coger aliento y bebió más cerveza—. Y además, tiene un arma. Esta mañana estaba en su camarote engrasándola, lo vi por la escotilla.

—Ya lo sabíamos —dijo Ramesh serenamente.

—¡Y a pesar de esto siguen adelante! —Los miró, estupefacto—. ¡Ustedes están tan locos como él!

—¿Qué clase de arma? —preguntó Cady.

—No lo sé, no entiendo nada de armas.

—Descríbala.

Castaño lo hizo y Cady asintió.

—Una pistola ametralladora.

—Nosotros... —iba a hablar Lani, pero Cady la hizo callar.

—¿Usted la vio?

—Estaba sentado en la cama, engrasándola —asintió Castaño. Los miró otra vez—. Pensábamos pagarle lo que le debemos y esperar a *La Belle Vue*, pero en esta isla no hay agua potable, por eso lo necesitamos. Si se va, ¿ustedes lo seguirán? —Todos asintieron. Un tanto perplejo, Castaño añadió—: Vamos a estar trabajando por toda la isla, pero hemos decidido que uno de nosotros se quedará en el campamento, de esta manera siempre habrá un testigo si él intenta hacerles una mala jugada.

—Ese testigo estará en peligro —dijo Ramesh, pensativo—. No sólo él: todos ustedes.

Castaño negó con la cabeza.

—Puede que seamos distraídos, pero no idiotas. Cuando le contratamos tuvimos algunas dudas, por eso sólo le adelantamos el diez por ciento de lo convenido. Para cobrar el resto tiene que esperar a que le entreguemos un cheque firmado por los tres, y sólo se lo daremos al final del viaje.

—Fue una buena idea —dijo Cady—. Siempre anda corto de dinero; no va a arriesgarse antes del cobro.

Castaño terminó su cerveza.

—Ahora tengo que volver, estamos instalando el campamento. Por Dios, tengan cuidado. —Iba a bajar a su bote cuando vio algo y sonrió—: ¡Miren!

Era *La Belle Vue* que doblaba el cabo.

—Gracias a Dios —exclamó con fervor—. Ahora mismo le daremos el cheque a ese tipo y nos libraremos de él. —Bruscamente su sonrisa se esfumó—. ¿De verdad piensan seguirle?

Todos asintieron.

—Les deseo toda la suerte del mundo.

El motor del *Jaloud* rugió y se puso en marcha una hora después del amanecer. El del *Manasa* hizo lo mismo. Pasó media hora. Cady supuso que Lascelles estaba probando la nueva junta.

Lascelles salió a cubierta y levó el ancla. Ramesh hizo un gesto a Cady, quien levó la del *Manasa*.

El *Jaloud* viró y avanzó hacia el *Manasa*. Por un instante Ramesh temió que los embistiera, pero la goleta viró nuevamente y pasó a diez metros de la popa. De pie en cubierta, Lascelles miró a Kirsty y gritó:

—¡Ya no hay testigos! ¡A ver si me sigues ahora, puta!

El *Jaloud* tomó rumbo noreste, seguido por el *Manasa*. Cady fue el primero en hablar.

—No pienses que me estoy entrometiendo en tus funciones, Ramesh, pero en cuestiones de violencia tengo más experiencia que tú. He preparado un plan.

—Adelante, Cady.

—La información que nos dio Castaño es muy útil. Me preocupaba que Lascelles tuviera un fusil: con eso podría mantenerse a distancia y llenarnos de agujeros. Tal vez lo tenga, pero lo dudo: un fusil es algo difícil de ocultar. Él es un conocido contrabandista, sospecho que los agentes de Aduana deben revisarle el barco cada vez que llega a puerto. Así que parto de la base de que sólo tiene la pistola ametralladora y tal vez un par de pistolas normales. —Hizo una pausa, frunció el entrecejo—. Si yo fuera él, me acercaría al *Manasa* y le vaciaría un cargador en la línea de flotación, para averiarlo. O tal vez eliminaría primero al timonel y luego apuntaría a la línea de flotación. La cosa es no dejar testigos con vida, ni ninguna clase de pruebas. —Miró hacia la isla—. No va a esperar que anochezca, porque necesita visibilidad. Esperará a perder de vista la isla. Esto sucederá dentro de tres horas, más o menos. Navegamos a favor de viento, y el sonido de los disparos no llegará hasta allá. Con esta brisa lo normal sería izar una vela, pero no lo ha hecho. —Miró a Ramesh—. A la primera señal de lucha deberás ir al timón con una de las Walther. Tenemos el factor sorpresa a nuestro favor: él no sabe que estamos armados. Cuando le veas virar, apunta la proa directamente hacia él. —Señaló la cabina del timón—. Pondremos allí los bidones de repuesto, para que absorban el impacto de las balas apuntadas al timonel. Kirsty y Lani se esconderán en el castillo de popa, junto a la mampara de la sala de máquinas. Allí estarán a salvo.

—Nada de eso —dijo Kirsty con firmeza—. Estoy buscando a mi hijo, no me voy a ocultar.

—Sólo tenemos dos armas —suspiró Cady—. No servirá de nada que te expongas.

—Si cae uno de vosotros puedo hacerme cargo del timón, incluso puedo disparar un arma. Y no quiero hablar más del asunto.

Cady iba a responder, pero Lani lo interrumpió.

—Yo también me quedaré, por si os hieren a los dos.

Ambas mujeres miraron a Cady, desafiantes, y él suspiró y asintió con la cabeza.

—De acuerdo. Os quedaréis detrás de los bidones. Si el *Jaloud* se situa a un lado o a popa, bajaréis al salón.

—¿Hacia dónde apuntamos? —preguntó Ramesh.

—Lo he estado pensando. Por mí, mataría a esos dos hijos de puta, pero no serviría de nada porque después no sabríamos dónde buscar al hijo de Kirsty. El objetivo es inutilizar el *Jaloud*. Hay que apuntar a la línea de flotación, sobre todo a la popa. Entonces nos apartaremos a esperar. No tienen botes salvavidas. Si se hunden, nos necesitarán. —Miró a Kirsty—. Y luego les sacaremos la verdad. Como sea.

Tal como había previsto Cady, media hora después de que Aldabra se perdiera de vista en el horizonte, el *Jaloud* viró bruscamente a babor.

Pero ellos estaban preparados.

Cady sacó la metralleta y la Walther. Le pasó la pistola a Ramesh:

—¡Apunta la proa hacia él! ¡Chicas, agachaos!

Kirsty y Lani se agazaparon detrás de los bidones.

Carlo estaba al timón y Lascelles ocupaba el centro de la cubierta. Sostenía algo en su mano derecha, semioculto detrás de su espalda. Sonreía.

—¡Os lo he advertido! —gritó, y alzó el brazo derecho.

En aquel instante Cady corrió hasta la borda, alzó su brazo, vio el rostro estupefacto de Lascelles y disparó.

Dos segundos más tarde se maldecía por no haber gastado un cargador para practicar. La metralleta se desviaba hacia la derecha y además había apuntado bajo. Se alzó una hilera de surtidores de agua a dos metros de la popa del *Jaloud*. Lascelles disparó a su vez, pero su estupor malogró su puntería. Apuntó bajo, pero algunos proyectiles impactaron en el casco del *Manasa*. Luego corrió hacia el timón. Cady prácticamente echó a Kirsty y Lani por las escaleras. Al mismo tiempo sacó otro cargador y le gritó a Ramesh:

—¡A la línea de flotación! ¡La línea!

Los barcos navegaban a la par, a veinte metros el uno del otro. Ramesh se apartó del timón y alzó la pistola. Olvidó todo lo aprendido en aquella primera y única lección: que debía afirmar la muñeca derecha con la mano izquierda y apretar el gatillo muy despacio.

El primer disparo impactó en el casco al pie del mástil. El segundo hizo blanco en Carlo, lo arrancó del timón y lo arrojó por la borda.

Lascelles demostró su cobardía. En vez de preocuparse por su compañero, abandonó la cubierta y se ocupó del control del barco febrilmente.

Cuando Cady pudo disparar, el *Jaloud* ya estaba a setenta metros a popa y se alejaba a veinte nudos. Vació el segundo cargador disparando más serenamente.

—¡Viva, Ramesh! —gritó Cady, pero Kirsty ya giraba el timón, y Lani le tendía otro cargador.

Cady colocó el cargador cuidadosamente. Cuando el *Manasa* completó su giro, el *Jaloud* se hallaba a más de quinientos metros de distancia y navegaba hacia el oeste a toda velocidad. Agazapado en el timón, Lascelles les echaba miradas temerosas sobre su hombro.

Mientras Kirsty se ocupaba del timón, Ramesh y Cady corrieron a proa. Ramesh alzó el brazo para disparar, pero Cady le detuvo.

—Ahorra las municiones para cuando lo alcancemos. La distancia es demasiado grande.

Entonces oyeron un grito. Carlo se mantenía a flote con esfuerzo, cien metros a estribor.

Los dos hombres de a bordo se volvieron hacia Kirsty. Sus ojos iban del *Jaloud*, que se alejaba rápidamente, al hombre en el agua. Por fin, giró el timón, el *Manasa* viró a estribor y disminuyó la velocidad. Cady y Ramesh dejaron sus armas sobre la cubierta y prepararon el bote inflable, atado al palo mayor. Se encontraban a cuarenta metros de Carlo, cuando Lani gritó:

—¡Mirad!

Una aleta negra se movía en torno al portugués. Cady recordó las palabras de Guy Savy: "Hay muchos tiburones, pero no atacan salvo en las islas más alejadas, como Aldabra".

Y Carlo estaba sangrando.

Cady acabó de soltar el bote.

—Tíralo por la borda y arrástralo detrás de la proa.

Cuando el bote cayó al agua oyeron el alarido de Carlo. Tenía medio cuerpo fuera del agua. El tiburón lo sacudió con violencia, luego se alejó un poco y se dispuso a atacar de nuevo.

—¡La popa! —le gritó Cady a Ramesh, quien cruzó la cubierta aferrando la soga del bote.

Cady se encontró en el agua, sin poder recordar cómo se había arrojado. El tiburón y él llegaron hasta

Carlo al mismo tiempo. Los ojillos del tiburón estaban a menos de un metro de Cady, el morro a pocos centímetros. Pataleó, se alzó en el agua y le estrelló su puño en el morro.

El escualo se alejó y empezó a nadar alrededor en círculos. Cady palpó la superficie gomosa del bote y oyó los gritos de Lani y Kirsty. Con un brazo rodeó el pecho de Carlo, con el otro aferró el bote y con un esfuerzo extraordinario fruto del terror, levantó el cuerpo de Carlo sobre él.

El impulso hundió su cuerpo bajo el agua cristalina, y al abrir los ojos vio que el tiburón se acercaba con furia asesina.

En el momento que su cabeza salió a la superficie supo que, aunque su cuerpo se alzara, sus piernas no se salvarían. Se aferró al bote con las dos manos, pataleó y de repente vio un objeto que volaba sobre su cabeza.

Cady cayó sobre el cuerpo agonizante de Carlo. Cuando se giró hacia el agua vio que el tiburón se alejaba en medio de una estela de espuma, con el arpón clavado casi verticalmente delante de la aleta. De repente arpón y tiburón desaparecieron bajo la superficie.

Entonces oyó el grito triunfal de Ramesh.

24

Subieron a Carlo a la cubierta, y diez minutos más tarde Ramesh paró el motor. La persecución se había interrumpido por el momento.

Agazapado al sol, en posición fetal, Cady sollozaba entrecortadamente. Su cuerpo temblaba.

Arrodillada a su lado, Lani lo abrazaba y trataba de hacerle superar el choque emocional.

Ramesh y Kirsty se ocupaban de Carlo, tendido en la popa. Evidentemente no sobreviviría.

La bala de Ramesh le había perforado el estómago. Su hombro izquierdo era una masa de carne desgarrada y huesos rotos. Su pierna izquierda colgaba de un tendón bajo la rodilla, y la sangre bañaba la cubierta. Ramesh le hizo un torniquete en la ingle. Tenía el manual de primeros auxilios abierto a su lado. No sabía cómo detener las hemorragias. Kirsty aplicaba paños mojados sobre las heridas del moribundo.

Veinte minutos más tarde Cady comenzó a serenarse. Sin mirar a Carlo bajó a la sala de máquinas. Al volver a cubierta dijo que la manguera del tanque de combustible había sido perforada por una bala. Tardaría una hora en repararla.

Su serenidad resultaba pasmosa. Miró al horizonte: el *Jaloud* era apenas una mancha. Se arrodilló junto a Carlo. Gracias al torniquete la hemorragia de la rodilla se había reducido. Los paños que le cubrían el pecho, el hombro y el vientre estaban empapados de sangre. Aun así, tenía los ojos abiertos.

—¿Qué le has dado? —le preguntó a Ramesh.

—Un miligramo de morfina.

—Dejadme a solas con él —pidió Cady—. Izad las velas. —Su voz era fría.

—¿Me oyes, Carlo? —Carlo asintió, y Cady puso su mano sobre el torniquete—. Has sobrevivido gracias a esto. Si no me dices dónde está el hijo de Kirsty, te lo arranco. ¡Habla!

Una sonrisa fugaz apareció en los labios de Carlo. Cuando habló, su voz era casi inaudible.

—¿Me salvaste del tiburón para matarme? No te creo. Además, me estoy muriendo y tú lo sabes. —Hizo una mueca y murmuró—: Lascelles, hijo de puta... Poco tiempo...

Cady acercó su oído a la boca de Carlo. Las velas se agitaron al viento y el *Manasa* viró suavemente. Escuchó las palabras entrecortadas de Carlo durante diez minutos, hasta que la voz se desvaneció y murió. Cady le cerró los ojos.

Ramesh estaba al timón, Kirsty y Lani en la cubierta de popa. Los tres lo miraban ansiosos.

—Kirsty —dijo Cady bruscamente—, coge el timón, Ramesh, vamos abajo. Tenemos que arreglar el motor.

—¿Qué pasa? —preguntó Ramesh, mirando el cuerpo inerte de Carlo.

—Sé dónde está Garret.

Una hora más tarde el motor estaba en marcha y Lani, erguida ante el timón, mantenía el rumbo hacia el oeste. Cady estaba sentado frente a Kirsty en el salón. Ramesh estaba junto a ella y le rodeaba los hombros con el brazo. Cady tomó aliento.

—Kirsty, el año pasado hubo una revolución en Zanzíbar. Fue muy sangrienta.

—Sí, lo sé. Leí algo sobre esto.

—Bueno, parece que Lascelles vendía armas a los rebeldes. El líder es un tal Okello, dicen que proviene de Uganda. Durante la revolución se adjudicó el grado de mariscal. Lo leí en un viejo ejemplar del *Time* en Farquhar. Nunca fue soldado, estuvo un par de meses en la policía de Kenia y lo echaron. Después de la revolución y la masacre de miles de personas dicen que Okello personalmente torturó y mató a unos cuantos. Lascelles cumplió un par de misiones más para Okello y se hicieron amigos.

Kirsty lo miraba, impaciente. Cady respiró y siguió.

—Lo que pasa es que Okello tiene un grupo sanguíneo muy raro. Carlo no estaba muy seguro. Ha dicho que era el cero factor RH negativo... ¿puede ser?

Kirsty asintió, pálida.

—¿Éste es el grupo de Garret?

—No. Él tiene cero negativo KK. —Crispó los puños—. Pero puede donar a cualquiera que tenga RH negativo y haya desarrollado anticuerpos debido a muchas transfusiones. Hay muy pocos donantes de estas características. Él ha donado sangre antes...

La expresión de Cady reflejaba inquietud.

—Bueno, parece que Okello ha tenido muchas transfusiones. Sufre de una enfermedad que se llama anemia perniciosa, y necesita transfusiones constantes. Lascelles lo sabía. Cuando supo el grupo sanguíneo de Garret, lo llevó a Zanzíbar y se lo vendió a Okello por diez mil dólares.

—¡Dios mío! —Kirsty se cubrió la cara con las manos—. ¡Le están chupando la sangre como vampiros!

—Es verdad, pero Okello ha de mantenerlo vivo. Garret es la gallina de los huevos de oro, ¿entiendes?

Kirsty tenía el rostro cubierto de lágrimas.

—¡Está vivo, Kirsty! —dijo Ramesh—. Tenías razón. Ahora debemos sacarlo de ahí.

—Eso no será fácil —dijo Cady con una mueca. Al ver la expresión de Kirsty alzó la mano—. Espera un momento, déjame hablar.

Dijo que la revolución seguía su curso, lo mismo que las masacres. Meses atrás Tanganyika y Zanzíbar se habían unido para formar la república de Tanzania. Pero hasta el momento la unificación era puramente formal. El presidente Nyerere trataba de convencer a Okello de que hiciera una política moderada, pero no tenía poder en la isla, y Okello seguía su propio camino. La isla era un gigantesco cuartel, y se hablaba de la presencia de instructores chinos y cubanos que entrenaban a los milicianos locales. No sería fácil rescatar a Garret. Cady prosiguió, implacable:

—Además tenemos el problema de Lascelles. Seguro que nos vio rescatar a Carlo. No sabe si está vivo o muerto, pero temerá lo peor. Seguramente se dirigirá a Zanzíbar a advertir a Okello.

—¡Van a matar a Garret! —dijo Kirsty entre sollozos.

—No lo creo. Si necesita su sangre no lo matará. Pero sí va a tomar sus precauciones.

—Entonces tenemos que atrapar a Lascelles —dijo Ramesh.

—Éste es el problema, Ramesh. Zanzíbar está a mil kilómetros de aquí, y Lascelles sabe que lo alcanzaremos. Mañana mismo ya lo tendríamos a la vista. Por eso creo que se va a desviar. La pregunta es: ¿hacia el norte o hacia el sur? Tendremos que decidir al azar, y no tenemos un radar. El océano es muy grande. He sabido de flotas enteras que han salido en busca de un barco y vuelto con las manos vacías. La probabilidad de encontrar a Lascelles es de una en un millón.

—Entonces, ¿qué?

—Hay una posibilidad —dijo, mirando a Kirsty—. Si Lascelles piensa desviarse llegaremos a Zanzíbar

230

un par de días antes que él. Podemos hacer algo antes de que Okello se entere. —Se encogió de hombros—. O salir a buscar la aguja en el pajar.

Hubo una pausa. Ramesh tenía una expresión desolada, Cady miraba a Kirsty, que tenía la vista clavada en la mesa.

—Howard Godfrey.

—¿Cómo?

—El cónsul norteamericano en Dar es Salaam —dijo, alzando la vista—. Cerca de Zanzíbar.

—Treinta kilómetros, más o menos —asintió Cady.

—Podemos llegar allá por lo menos un día antes de que Lascelles llegue a Zanzíbar.

—Así es.

Kirsty se levantó, resuelta.

—Bien, iremos a Dar es Salaam. Howard sabrá qué hacer. Garret es ciudadano norteamericano. ¡El gobierno lo sacará de allí!

Cady miró a Ramesh de reojo.

—Escucha, Kirsty —dijo Ramesh—. Okello no va a reconocer que tiene a Garret... Y no sé si tu gobierno tiene mucha influencia en Zanzíbar.

Ella los miró con un brillo demencial en los ojos.

—¡Él es amigo mío! Y Estados Unidos es un país poderoso. Algo se le ocurrirá. Además, ¿qué otra alternativa nos queda? Una es buscar a Lascelles, la otra es ir directamente a Zanzíbar y decirle a esa bestia: "Por favor, señor mariscal, devuélvame a mi hijo". Lo importante es llegar a Dar es Salaam antes que Lascelles a Zanzíbar. Howard sabrá qué hacer, estoy segura.

Era una posición lógica, a pesar de las sombrías perspectivas. Cady miró a Ramesh.

—Pon el motor a máxima velocidad. Yo estaré en la sala de máquinas vigilando el aceite.

Kirsty y Ramesh se dirigieron hacia la escalera, Cady a la sala de máquinas. Ramesh se detuvo bruscamente.

—El cadáver de Carlo. ¿Qué hacemos con él?

—Échalo por la borda —dijo Cady sin vacilar—. Si queréis rezar por él, hacedlo, pero recordad que fue uno de los que entregó a Garret a ese vampiro. Además, trató de matarnos. ¿Quieres que me ocupe de esto? —le preguntó a Ramesh.

Ramesh negó con la cabeza y sonrió.

—No, es mi deber como capitán. Cady, lo que has hecho hoy ha sido la mayor prueba de valor que he visto en mi vida.

—Así es —asintió Kirsty—. Además, gracias a ti sabemos dónde tienen a Garret, y por qué.

Cady se estremeció y desvió los ojos.

—No tienes que agradecérmelo —murmuró, alzó los ojos y miró a Ramesh—. Y tú me has salvado el pellejo. Cuando te vea con un arpón me cuidaré de no acercarme.

Ramesh y Kirsty rieron de buena gana.

25

Aquel fue, sin duda, el momento de mayor tensión de la vida de Howard Godfrey. Diez minutos antes, Kirsty había irrumpido en su oficina, sin anunciarse y gritando:

—¡Howard, sabemos dónde está Garret!

Le presentó rápidamente a Ramesh y Cady y le explicó todo. Cuando mencionó Zanzíbar, y a Okello, Howard experimentó un escalofrío que le recorrió la espalda y un súbito nudo en el estómago. Cogió el teléfono lentamente, mientras su mente trabajaba a ritmo febril.

—Póngame con el embajador. Urgente. —Durante la pausa miró el rostro ansioso de Kirsty sin decir palabra—. Hola, Frank. Acabo de enterarme de que un ciudadano nuestro está preso en Zanzíbar. Lo tiene Okello... Sí, varios meses. Es una historia extraña, y el asunto es urgente. ¿Puedes concederme unos minutos ahora mismo? La madre está aquí con dos amigos... Bien... ¿podemos llamar a Richards? ¿Murphy también? De acuerdo. —Apretó un botón y después de una pausa dijo—: Soy Godfrey. Por favor, diga al señor Richards y al señor Murphy que les espero en la sala de reuniones. Inmediatamente.

Colgó el auricular, aspiró hondo y miró a Kirsty y a los demás.

—No sabes cuánto me he alegrado de que Garret esté vivo y de que sepas dónde está. Te pido mil disculpas por mi escepticismo inicial... Sin embargo, debo decirte que no podría hallarse en peor lugar. —Alzó la mano al ver que ella iba a hablar—. Espera un momento. Nos reuniremos con el embajador, con el ex cónsul en Zanzíbar y con Murphy que cumple....digamos... funciones extraoficiales.

—¿Es de la CIA? —preguntó Cady.

—Digamos que sus funciones son extraoficiales —repitió Howard—. Entre todos trataremos de elaborar un plan. Pero no será fácil. Enseguida sabréis por qué.

Kirsty estaba exhausta.

—Habrá sido una travesía agotadora... —exclamó Godfrey.

Ramesh asintió.

—Trescientos kilómetros cada día. Sin descanso. Nosotros estamos mejor, pero Kirsty casi no ha dormido en los últimos días.

—Dormiré cuando saquemos a Garret de allí —dijo ella—. Tenemos poco tiempo, Howard. Tal vez sólo llevamos unas horas de ventaja a Lascelles.

—Lo sé. Vamos.

Al entrar se sentaron en torno a una gran mesa. En un extremo de la sala había una bandera de los Estados Unidos. En la pared había una gran foto en colores: el presidente Johnson sonreía confiado.

Kirsty repitió la historia para el embajador y Richards, que la escucharon en silencio. Murphy la interrumpió un par de veces con preguntas. Cuando ella mencionó el grupo sanguíneo, la enfermedad y las transfusiones de Okello, asintió brevemente.

Al terminar, Kirsty miró al embajador. Éste se giró hacia Godfrey y dijo:

—Dime que lo que acabo de oír no es un cuento de hadas.

—¡Oiga! —exclamó Ramesh, furioso, pero el embajador levantó la mano.

—¡Dímelo, Howard!

—Todo es verdad, Frank —suspiró Howard—. Lascelles informó de la desaparición de Garret el 13 de febrero. Tú estabas en Arusha...

—Sí, pero leí el informe.

—Hay algo más —acotó Murphy—. Estábamos al tanto de los rumores sobre la enfermedad de Okello. Pero creíamos que era más un deseo que un informe objetivo.

—Ese tipo está loco —murmuró Richards.

—¿Y bien? —preguntó Kirsty al embajador—. ¿Qué le parece?

El embajador frunció el entrecejo. Miró a Howard y Murphy, y chasqueó los labios.

—Señora Haywood, debo pedirle a usted y a sus amigos que salgan durante unos minutos.

—¡No hay tiempo que perder! —insistió Kirsty.

—Lo sé, lo sé. Unos minutos, nada más.

Pasaron veinte minutos, Kirsty no podía contener su impaciencia. De cuando en cuando se oía una voz airada en la sala.

Al abrirles la puerta para hacerles pasar, el rostro de Godfrey estaba rojo de furia.

Kirsty tuvo un mal presentimiento. El embajador fue derecho al grano.

—Señora Haywood, la situación actual en Zanzíbar es la siguiente: el presidente Nyerere, de Tanganyika, hombre moderado y razonable, es el gobernante formal de Zanzíbar, desde la llamada unificación. Sin embargo no tiene el menor poder para controlar lo que sucede allí. El gobierno, por llamarlo de alguna manera, es un consejo revolucionario presidido por un tal Abdul Karume, también moderado, pero que no detenta el poder. El autoproclamado mariscal Okello, cuyo origen nadie conoce, es ministro de Defensa y comandante en jefe de las Fuerzas Armadas. El poder real está en sus manos, tal vez no por mucho tiempo. Karume y los otros miembros del consejo quieren desplazarlo, pero se mueven con gran cautela. Okello es un hombre astuto y sádico. Todos los habitantes de la isla temen por sus vidas.

Hizo una pausa para beber un sorbo de agua.

"En circunstancias normales, si un país extranjero detiene a un ciudadano norteamericano sin causa justa, elevamos una protesta al gobierno y exigimos su liberación inmediata. Si la protesta no surte efecto, ejercemos presión, mediante medidas económicas, a través de otros países o, en raras ocasiones, militarmente. En este caso no podemos ejercer presión por ninguna de estas vías. La revolución ha cortado todas nuestras relaciones económicas con Zanzíbar. Los únicos países que podrían tener influencia son comunistas; ninguno de ellos nos creería e, incluso así, difícilmente se mostrarían dispuestos a ayudarnos. El recurso militar es impensable. Aunque estuviéramos dispuestos a emplearlo, las unidades militares norteamericanas más próximas se encuentran a miles de kilómetros de aquí.

Durante el breve monólogo la expresión de Kirsty se tornó más y más desolada.

—¿Qué hacemos entonces? —preguntó.

El embajador suspiró y miró a los demás.

—Hoy voy a ver al presidente Nyerere, personalmente.

—¡Pero acaba de decir que él no tiene poder en la isla!

—Así es, pero tiene influencia, al menos sobre Karume. El problema es que si quisiéramos elevar una protesta al consejo revolucionario, tendría que ser a través de los ingleses, que representan allí nuestros intereses.

—¿No tenemos ningún representante en la isla? —preguntó Kirsty, incrédula.

236

—No —dijo el embajador, y se ruborizó—. Poco después de la caída del sultán, el Departamento de Estado envió instrucciones para que intentara establecer relaciones cordiales con las nuevas autoridades. Teníamos una estación de seguimiento de satélites en la isla, muy cara y muy importante para el programa espacial. Llamé a Richards y.... usé una frase poco afortunada. Él dijo que, como cónsul, no tenía suficiente autoridad para negociar. Yo le dije que entablara conversaciones y que trataría de enviar refuerzos de mayor calibre... Bueno, parece que los de Okello interceptaron la llamada y creyeron que me refería a algún tipo de arma. Entonces rompieron las relaciones y expulsaron a Richards y a todos los norteamericanos de la isla.

Cady trató de contenerse y no pudo: soltó una carcajada.

—Discúlpame —le dijo a Kirsty—, pero es lo más ridículo que he oído en mi vida.

Ella no pareció escucharlo. Al borde de las lágrimas, se volvió hacia Howard:

—¿Qué dices tú?

Godfrey abrió las manos con gesto de resignación.

—Es una situación horrible, Kirsty. Lo peor es que no hay ningún registro de la entrada de Garret en el país.

Kirsty miró a Murphy, que con los dedos tamborileaba sobre la mesa.

El embajador dijo:

—Creo que es la única alternativa, señora Haywood. Y la única opción viable, desde el punto de vista diplomático.

Hasta entonces, Ramesh no había abierto la boca, pero bruscamente habló:

—Cuando estábamos fuera oímos una discusión —dijo Ramesh—. Tal vez alguno de ustedes sugirió otra posibilidad.

El embajador lo miró con cara de pocos amigos.

—Desde luego, hemos estudiado todas las alternativas y las he tenido en cuenta al tomar mi decisión.

—¿Cuáles son las alternativas? —preguntó Kirsty.

—Eso no le interesa —dijo el embajador, molesto—. Como le decía... —pero no pudo acabar la frase.

—¡Es mi hijo! —gritó Kirsty—. ¡Ese vampiro hijo de puta le está chupando la sangre, y usted pretende decirme lo que debo o no debo hacer!

El embajador se sobresaltó. Richards tenía los ojos clavados en la mesa. Murphy y Howard la miraban con respeto.

—Frank, no le falta razón —dijo Howard.

El embajador se pasó la mano por la mandíbula y soltó un suspiro.

—De acuerdo. El señor Murphy tiene un plan. Cree que sabe dónde está su hijo. Lo discutimos, pero yo lo veté.

—¿Por qué?

—Señora Haywood, aunque usted me crea un monstruo, debo decirle que es mi deber promover las buenas relaciones con este país. No es fácil, pero no entraré en detalles. El plan de Murphy requiere la participación de varios... mercenarios. Usted se hará cargo de que no son personajes bien recibidos en ninguna parte. El señor Murphy tiene tres... amigos, y pensaba traer a cuatro o cinco más desde Kenia y Uganda. Llegarían esta tarde, por avión. El problema es que hay demasiados riesgos. Imagínese el alboroto que se armaría si muriera un norteamericano en la operación o, peor aún, si lo cogieran preso. Todo el mundo hablaría del imperialismo americano, de que queremos desestabilizar el gobierno. Tardaríamos una década en restablecer las relaciones.

—Mi hijo es un ciudadano norteamericano; ¿su vida no vale nada?

—Señora Haywood, no tenemos pruebas de que su hijo se halle con vida y en Zanzíbar. Sólo contamos con la palabra de un criminal moribundo.

Las implicaciones de sus palabras hicieron palidecer a Kirsty, pero no a Cady, quien dijo con desdén:

—De acuerdo, respetable señor embajador. Vaya a ver a Nyerere y dígale, muy humildemente, que el señor Okello mantiene preso a un ciudadano norteamericano y lo usa como banco de sangre. —Miró fijamente al embajador y continuó—: Hace meses que empezó la masacre. Nyerere hubiera podido intervenir con su ejército. Han matado a miles de africanos, incluso de Tanganyika. Nyerere no ha movido un dedo por su propio pueblo. ¿Cree que lo hará por un extranjero?

—Usted podrá prohibirle al señor Murphy que intente una operación de rescate —intervino Ramesh—. Pero le será imposible detenernos a nosotros. —Miró a Cady—. Además, debo decirle que estamos armados.

—Olvídelo —masculló Murphy sin levantar los ojos del papel—. Ustedes son dos. Para este operativo se necesita un grupo de ocho hombres, y todos especialistas. Como mínimo.

—Somos cuatro —corrigió Kirsty, más animada.

—¿Quién es el cuarto?

—Una muchacha china. Está en el barco. No le han permitido desembarcar porque no tiene documentos.

Murphy meneó la cabeza, asombrado.

—Señora Haywood, veo que usted y su grupo son gente de agallas, y les admiro por eso. Pero, ¡por Dios! Dos hombres y dos mujeres. Esa isla está repleta de hombres armados. No están bien entrenados, pero llevan armas siempre y las usan a la menor ocasión. Mi plan es muy arriesgado, y además requiere un equipo de gente especialmente preparada.

—¿Usted sabe dónde pueden tener a Garret? —preguntó Cady.

Murphy dedicó una brevísima mirada al embajador, que estaba aturdido por el nuevo giro de los acontecimientos.

—Estoy casi seguro, si es que lo tienen en la isla.

—¿Dónde?

—Un momento —interrumpió el embajador—. Es una locura. Los matarán a todos...

—El problema es nuestro —dijo Kirsty—. Estoy dispuesta a arriesgar mi vida por Garret... mil veces si fuera necesario.

—Está en su derecho —dijo Godfrey—. Además, Murphy podría asesorarles. Tendrán que partir esta noche, si no, será demasiado tarde. Podrías postergar la entrevista con el presidente Nyerere hasta mañana.

—Están locos, totalmente locos... —murmuraba Murphy una y otra vez.

El embajador frunció el entrecejo. Finalmente asintió y se puso en pie.

—Está bien, pero no puedo inmiscuirme en esto. Murphy, su ayuda será estrictamente personal, y escúcheme bien. Ni usted ni su gente pondrán un solo pie en Zanzíbar, ni penetrarán en sus aguas territoriales. —Se volvió hacia Kirsty y suavizó el tono de su voz—. Señora Haywood, lamento profundamente no poder brindarle más ayuda. Pase lo que pase, veré al presidente Nyerere mañana. Tenga la seguridad de que plantearé su caso lo mejor posible. Me llevo bien con él. Presionaré todo lo que pueda.

Kirsty asintió con indiferencia. El embajador dedicó una última mirada amenazante a Murphy y salió.

—¿Qué armas tiene? —preguntó Murphy.

—Una metralleta y una Walther automática —replicó Cady.

—No es un gran potencial bélico —suspiró. Miró su reloj y luego a Howard—. Hay que actuar con total discreción, ¿verdad?

—Así es.

—Bien. Todavía no son las doce, tenemos tiempo. —Levantó el auricular del teléfono, apretó un botón y tras un instante dijo—: Ray, tráeme el expediente Okello con los mapas y planos correspondientes. —Miró a Howard y le guiñó el ojo—. La verdad es que teníamos el plan de eliminar al señor mariscal. Esta isla se está convirtiendo en una base comunista. No paran de llegar chinos y cubanos. —Hizo una mueca—. Vetaron el plan, pero ya habíamos hecho todos los estudios preliminares. Eso les servirá, pero continuo creyendo que están locos. Con este material tendrán una probabilidad de triunfar del uno por ciento. Puedo darles unas metralletas Mark 6S.

"Los ingleses se las regalaron al ejército de Tanganyika, y unas cuantas aparecieron después en el mercado negro. Lo importante es que tienen buenos silenciadores y, si las abandonan allá, las sospechas recaerán sobre el ejército. Voy a llevarles a un campo de tiro donde puedan practicar. También les daré algunas granadas. El año pasado el ejercito se amotinó, y Nyerere pidió ayuda a los ingleses. Un helicóptero sobrevoló el cuartel principal y lanzó unas cuantas bombas de fogueo. Los cinco mil amotinados soltaron las armas y se fueron a esconder a las montañas: ahí acabó el motín. Puede que les sirvan para escapar.

Alguien llamó suavemente a la puerta. Murphy lo presentó como Ray a secas.

El hombre desplegó una serie de mapas y fotografías sobre la mesa. Murphy señaló la costa suroeste de Zanzíbar en un mapa a gran escala.

—Aquí hay una villa estilo árabe. Era de un pariente del sultán, y Okello se la apropió. Está en un lugar aislado, a pesar de que Zanzíbar está densamente poblada. Okello va dos veces al mes a pasar la noche, siempre los miércoles. Está a cincuenta y pico de kilómetros de la ciudad de Zanzíbar. Puede que tenga una amante allí. El lugar está vigilado por unos doce milicianos, pero nuestros informadores dicen que la guardia es bastante ineficaz. —Miró a Kirsty—. Su hijo no puede estar en la cárcel por el color de su piel. Seguramente lo tiene fuera del alcance de miradas indiscretas. Tal vez tenga otros como él.

—Suena bastante lógico —dijo Kirsty.

—No parece tan difícil —dijo Cady, mirando el mapa—. Está en la costa. Si acercamos el *Manasa* a setecientos metros de la orilla y desembarcamos en el bote...

Murphy negó con la cabeza.

—Imposible, muchacho. Hay un problema, por eso mi plan requiere ocho hombres como mínimo. —Desplegó un plano—. La villa está en lo alto de un precipicio de casi setenta metros. La pared es pura roca. Son tres kilómetros de acantilado, y la villa está justo en el centro. Un comando bien entrenado tal vez podría escalarlo. Ustedes, decididamente no.

—¿Cómo era su plan? —preguntó Cady.

Murphy señaló otro punto en el mapa.

—En este punto, unos tres kilómetros al norte de la aldea de Jembiani, hay una playa. Pensaba desembarcar aquí. —Su dedo señaló el lugar—. De aquí a la villa hay tres kilómetros. Hay que hacer un rodeo alrededor de un cuartel. Llegar a la villa es fácil, lo difícil es volver. Apenas oigan tiros, los militares saldrán del cuartel. Hay otro a tres kilómetros al norte de la villa. En pocos minutos habrá soldados por todas partes.

—¿Y cómo pensaba escapar?

El dedo de Murphy señaló un punto en el interior de la isla.

—Iba a efectuar un simulacro de ataque aquí, donde hay una plantación. Una serie de bombas de fogueo que explotarían a intervalos irregulares. Calculé tres hombres para cubrir la retirada del cuartel hasta la playa, uno en la playa y cuatro para el asalto. —Miró a

Cady—. ¿Comprende cuál es el problema? Aunque lleven las dos mujeres, necesitarán cuatro hombres más.

Cady estudió el plano un largo rato. A unos tres kilómetros de la costa había un gran arrecife con varios canales de acceso.

—¿Cuál es la dirección del viento en esta época?

—Del suroeste.

Cady sonrió. Kirsty y Ramesh lo miraban.

—¿Se te ocurre algo? —preguntó Kirsty.

—Entraremos con el Manasa por aquí, al norte de Jembiani. Navegaremos junto al arrecife frente a la playa. Nos acercaremos a setecientos metros de la costa, y Ramesh y yo desembarcaremos en el bote. Lani y tú sacaréis el *Manasa* del arrecife y navegaréis hacia el norte. Cuando Ramesh y yo nos acerquemos a la villa, os mandaremos una señal luminosa. Vosotras os acercaréis a la costa y anclaréis el Manasa cerca de las rocas. Mientras tanto, Ramesh y yo asaltaremos la villa y sacaremos a Garret.

—Y entonces ¿qué? —interrumpió Murphy.

Cady se enderezó.

—Y entonces bajaremos por el acantilado a la cubierta del *Manasa*.

Murphy y Ray hablaron al unísono:

—¡Está absolutamente loco!

Cady los miró con una amplia sonrisa.

—Cuando un operario de una torre de petróleo está trabajando en un pozo que se incendia, dispone de breves instantes para saltar antes de que lo alcancen las llamas.

—¿Y cómo amarrará el barco?

—Eso es fácil —dijo Cady, sin dejar de sonreír—. Necesitaré una cuerda ligera y muy resistente. Murphy, si me encuentra un taller bien equipado, en un par de horas lo tendré todo listo. ¿Puede ser?

Murphy miró el mapa.

—Le diré una cosa. Si consigue bajar del acantilado y regresar sano y salvo al barco, tiene trabajo asegurado conmigo cada vez que lo necesite. —Y sacudió la cabeza con gesto bonachón—. ¡Petroleros!

26

Por orden de Murphy descansaron durante tres horas. Volvieron al *Manasa* alrededor de las cinco. Ramesh y Cady estaban tan agotados como Kirsty.

Habían elaborado un plan meticuloso. El asalto sería a las cuatro de la madrugada: a esa hora tal vez los centinelas estarían dormidos. Zarparían de Dar es Salaam a las nueve de la noche, en cuatro horas llegarían a Jembiani y les quedaría una hora para preparar el bote y dejar a Ramesh y Cady en la playa.

Murphy les había conducido a las afueras de la ciudad para presentarles a un hindú llamado Pandit, dueño de un taller pequeño pero bien equipado. Durante una hora, con ayuda de Murphy y Ramesh, Cady soldó varillas de acero de distintos largos para fabricar cuatro barras en forma de T. Tres eran suficientes, pero quería llevar una de repuesto por si acaso. En el extremo del brazo vertical de cada una soldó una abrazadera con una ruedecita metálica acanalada. Debajo de la abrazadera atornilló un dispositivo que parecía un manillar de bicicleta, cuyos brazos se abrían y cerraban merced a una bisagra, que quedaba justo debajo de la rueda acanalada. Cubrió todo con cinta aislante negra, invirtió la T y explicó su funcionamiento.

—Aunque es una improvisación funcionará bien. Es igual que la barra T que usan los esquiadores para remontar la pendiente, pero al revés. —Hizo girar la rueda—. La soga pasa por aquí, la abrazadera la mantiene sujeta. —Puso la barra vertical entre sus piernas y la horizontal bajo los muslos, y aferró el manillar—. Uno se agarra así y se lanza. Como la cuerda estará floja, los primeros diez o doce metros de caída serán prácticamente verticales... no es lo más conveniente para el estómago. Entonces la cuerda se tensa y la caída se hace menos vertiginosa. Ahí es cuando se aplica el freno. —Cerró los dos brazos del manillar—. Esta bisagra aprieta la cuerda y frena la caída. Caeremos al agua a unos seis metros del barco. Lástima que no podamos hacer un par de saltos de prueba. Espero que Ray nos consiga una cuerda bien fuerte.

Ray debía encontrar la cuerda, dos rollos de cien metros de sisal grueso, dos pelotas de goma dura de unos diez centímetros de diámetro, diez kilos de pintura negra, varios metros de tela negra y ropa negra para los cuatro tripulantes del *Manasa*.

Cargaron las barras T en el maletero del coche de Murphy y salieron de la ciudad por la carretera hacia Lindi. Después de unos quince kilómetros, Murphy, que miraba el arcén derecho con mucha atención, encontró la señal que buscaba y salió de la carretera por un camino de tierra ascendente. Llegaron hasta lo alto de una colina baja, de donde se veía un valle de arbustos espinosos. Ray les esperaba en un viejo Dodge.

—¿Lo conseguiste todo? —preguntó Murphy al bajar del coche.

—Sí. —Abrió el gran maletero del Dodge y todos se acercaron a mirar, mientras Murphy verificaba la carga. Señaló una caja metálica—. Son granadas de fragmentación —dijo—. Una docena, fabricación inglesa. Lástima que no podamos practicar, porque el ruido podría llamar la atención. Después les enseñaré cómo funcionan. —Sonrió—. El mecanismo es elemental.

Junto a la caja había un paquete largo y grueso envuelto en tela. Murphy lo abrió: aparecieron los cañones negros de tres metralletas. Tenían culata de madera oscura con cachas de bronce y empuñadura tipo pistola. El silenciador tenía una funda de lona: sin eso, dijo Murphy, se recalentaban tanto que quemaban la mano. Les enseñó cómo desmontar y montar el arma. De otro paquete sacó una docena de cargadores.

—Es igual de rápida que la Mark 2 —dijo—. Hay que disparar en ráfagas cortas.

Practicaron durante media hora. Disparos aislados, hasta acostumbrarse al arma, y luego ráfagas. Los silenciadores eran sumamente efectivos.

Murphy quedó complacido. Tal como había imaginado, Cady tenía dotes naturales de tirador: se adaptó rápidamente al retroceso de la metralleta y tras un par de ráfagas arrancó los arbustos que servían de blanco. Ramesh tardó un poco más pero finalmente lo logró.

La gran sorpresa la dio Kirsty. Murphy había pensado que el culatazo la asustaría, pero después de la primera ráfaga se acomodó la culata contra el hombro y soportó el retroceso sin inconvenientes, sus disparos dieron en el blanco.

—Créame que no me gustaría enfrentarme a usted en un tiroteo —le dijo Murphy al volver al coche.

Ella sonrió con tristeza.

—Lo único que me molesta es no participar en el asalto. Odio la idea de estar en el barco sin hacer nada.

—Ya hemos hablado de esto, Kirsty —dijo Ramesh—. Sabes que se necesitan dos personas para maniobrar el *Manasa*.

—Sí, lo sé —dijo, muy seria, y apretó la culata de la pistola—. Sólo me gustaría encontrarme frente a frente con los que secuestraron a mi hijo.

—Esto no ocurrirá de todas maneras —dijo Murphy—. Hoy es viernes, y Okello sólo va los miércoles. —Se giró hacia Ramesh—. Ahora al barco y todo el mundo a la cama. Sé que están todos muy excitados, pero quiero que se acuesten de todas maneras. Es psicológico, aunque no duerman se sentirán más descansados. Ray y yo traeremos lo que falta: bolsas para las granadas y cargadores de repuesto, linternas impermeables y unos transmisores para comunicarse del barco a tierra. Además puede que encuentre a un tipo que querrá ayudarles.

—¿Quién? —preguntó Ramesh.

—Llegaré al barco alrededor de las ocho. —Haciendo caso omiso de la mirada interrogativa de Ramesh, Murphy se despidió.

Para su propia sorpresa, Kirsty pudo dormir dos horas. A pesar de que fue un sueño inquieto, se despertó más descansada. Oyó ruido de pasos sobre la cubierta. La litera de Ramesh estaba vacía. Se vistió entre bostezos y salió al salón. Lani estaba en la cocina, preparando café y bocadillos. Recibió a Kirsty con una sonrisa.

—¿Has podido dormir?

—No sé cómo.

—Todos hemos dormido. ¿Te sientes bien?

—Sí. ¿Qué pasa allá arriba?

—Han llegado los norteamericanos con un tipo.

—¿Quien?

—Ve a verlo —dijo Lani con una sonrisa más ancha.

Había mucha gente en cubierta. Ramesh y Cady, Murphy, Ray y Howard Godfrey, y un desconocido. Era africano, menudo, demacrado y su pelo parecía una mata de algodón gris. Sólo vestía un par de pantalones cortos de color pardo, muy remendados.

Murphy fue el primero en verla.

—Kirsty, quiero presentarle a Salim. Irá con ustedes.

248

—¿De veras? —Kirsty se acercó y le tendió la mano. El hombre se la cogió y sonrió. Le faltaban varios dientes, y su mano parecía un pergamino viejo.

—Estaba contándoles que Salim detesta a Okello y su gente. Su único hijo trabajaba en una plantación árabe antes de la revolución. La noche en que masacraron a los árabes, el muchacho trató de proteger a su patrón, un buen hombre. La turba mató al patrón y luego al hijo de Salim, a su mujer y a sus cinco hijos. El menor tenía dos años.

—¡Por Dios! —murmuró Kirsty y miró al viejo, quien evidentemente no había comprendido, puesto que seguía sonriendo.

—Salim pudo escapar porque estaba en el mar, pescando —agregó Murphy.

—¡Pescando! —exclamó Cady—. ¿Cuántos años tiene?

Murphy sonrió.

—No lo sabe con exactitud. Setenta y cinco, más o menos. Pero es fuerte y sabe maniobrar un barco. Y, lo más importante de todo, conoce la zona como la palma de su mano. Me ha dicho que ha ido muchas veces a los acantilados a pescar langostas. Él podrá guiar el *Manasa* a través del canal y hasta la playa y después lo ocultará bajo los acantilados. Habla muy poco inglés, pero lo entiende. Tendrán que hablarle lentamente y con frases cortas.

—¡Perfecto! —dijo Ramesh con satisfacción. Aunque no lo había mencionado, la falta de conocimiento de la zona le preocupaba.

—Les sugiero que Salim se haga cargo del timón. Es capaz de llevarlos con los ojos cerrados.

—¡Magnífico! —dijo Kirsty, eufórica—. Esto significa que podré participar en el asalto con Ramesh y Cady.

Los demás trataron de disuadirla, pero no hubo manera de hacerlo. Nada ni nadie le impediría participar.

—Además, usted ha dicho que disparo muy bien —le dijo a Murphy.

—Sí, pero...

—Y nos sobra una barra T, así que no habrá problemas.

Cady maldijo su precaución de fabricar una barra de reserva.

Murphy se encogió de hombros y abrió una bolsa de lona que estaba en el suelo a sus pies. De ahí sacó tres transmisores del tamaño de un paquete de cigarrillos.

—Son de lo más avanzado en electrónica. Están sintonizados a una longitud de onda que no se usa por aquí. Uno es para el barco, otro para el grupo de asalto y el tercero para mí. Los nombres en clave serán: Ram Uno para el *Manasa*, Ram Dos para el grupo de asalto y Ram Tres para mi gente. Ray, Godfrey y yo estaremos en un yate fuera de los límites territoriales. Una excursión de pesca nocturna, por supuesto. Tendrán que arreglárselas solos en sus aguas, pero una vez que salgan del canal estaremos cerca para ayudarles. Zarparemos una hora después que ustedes.

De la misma bolsa sacó unas linternas. Los cristales estaban cubiertos con cinta aislante, dejando libre el centro.

—Con éstas podrán iluminar el camino y enviar señales al barco si falla el transmisor. Hagan unas pruebas. —Sacó un par de prismáticos—. Intensifican la luz. Tienen una visibilidad de cien metros en la oscuridad. —Miró su reloj—. Comamos algo y váyanse ya.

27

Levaron anclas poco después de las ocho y salieron silenciosamente por el canal hacia el mar abierto. Salim iba al timón.

Cuando las luces de la ciudad quedaron atrás, todos se pusieron la ropa negra que les había conseguido Ray. Pintaron de negro la vela mayor y la cabina del timón.

Al acabar Ramesh miró su reloj.

—Hace una hora y media que zarpamos. Murphy ya habrá salido. Probemos los transmisores.

Fueron a la cubierta de popa, Ramesh sacó los transmisores y las linternas. Estiró la antena, apretó el botón y dijo:

—Ram Uno a Ram Tres. ¿Me oye? Cambio.

Una pausa expectante y se oyó la voz de Murphy en el diminuto altavoz.

—Ram Tres a Ram Uno. Le oigo perfectamente. Dígame su posición. Cambio.

Ramesh apretó el botón.

—No lo sé. Nuestro amigo ha estado al timón, mientras nosotros nos ocupábamos del camuflaje. Cambio.

—Bien, déjeme hablar con él.

Ramesh puso el transmisor ante la cara de Salim quien lo miró asombrado. Sus ojos se abrieron más aún cuando oyó la voz de Murphy, que le hablaba en swahili. Salim sonrió y comenzó a parlotear. Ramesh apretó el botón y preguntó a Murphy qué había dicho.

—Dice que llegarán al canal dentro de cinco cigarrillos. —Rió—. Quiere decir una hora, más o menos. Vuelvan a comunicar cuando lleguen. Cambio.

Después de verificar que el otro transmisor funcionaba bien, probaron las linternas.

Una hora más tarde el *Manasa* se acercaba a la costa. Ramesh estaba asombrado. El viejo Salim no había consultado la brújula ni una sola vez, sin embargo, pasada una hora, paró el motor y alzó su dedo largo y huesudo:

—Canal de arrecife. Un kilómetro.

Sacaron varios rollos de tela negra, una caja de clavos y dos martillos. Ramesh y Cady echaron el bote por la borda y Cady bajó con uno de los martillos. Kirsty y Lani sostenían la tela mientras Ramesh la sujetaba con clavos a la borda. Salim tiraba de la amarra del bote para conducirlo alrededor del barco, mientras Cady clavaba el borde inferior de la tela a la línea de flotación. Al terminar se alejó unos treinta metros y remó en torno al barco. Luego regresó a cubierta.

—Parece un barco fantasma.

—Perfecto. —Ramesh llamó a Murphy por el transmisor, quien le dijo que se hallaban a tres kilómetros al este del *Manasa*.

—Sintonizaremos las transmisiones entre ustedes —dijo Murphy—. Suerte.

—Gracias. Cambio y fuera.

Ramesh dejó el transmisor, Salim aceleró y el *Manasa* se puso en marcha.

El arrecife era invisible en la oscuridad. Ramesh estaba maravillado por la habilidad del viejo, y se alegró una vez más por no tener que guiar el *Manasa*.

Veinte minutos después Salim anunció que habían pasado el arrecife y estaban a un kilómetro y medio de Jembiani.

Izaron las velas negras y apagaron el motor. Una brisa suave los impulsaba en silencio hacia el norte, en dirección paralela a la costa. Kirsty, Ramesh y Cady se prepararon para desembarcar.

Se pintaron las caras y las manos con un ungüento negro que les había dado Murphy y después se colocaron las correas que sostenían las granadas y los cargadores de repuesto.

Ramesh repasó con Lani el proceso de anclaje. Inflaron otro bote y le explicó una vez más cómo usar el ancla de repuesto para poner al *Manasa* paralelo al acantilado. Ella lo escuchaba impaciente, su mirada ansiosa buscaba constantemente el rostro ennegrecido de Cady.

Cady cogió un rollo de cuerda y se lo colgó en bandolera. En una bolsa de lona puso los rollos de sisal, las pelotas de goma, las linternas, el transmisor y los prismáticos. Las cuatro barras T estaban sobre la cubierta a sus pies.

Ramesh estaba junto a Salim. A la tenue luz de la luna alcanzaba a ver el contorno de la costa. Se acercaban en diagonal, y una vez más Ramesh se preguntó cómo lo hacía el viejo para orientarse.

Diez minutos más tarde Salim giró el timón, y el *Manasa* viró hasta detenerse.

Salim señaló la borda de estribor.

—Playa. Medio kilómetro.

Ramesh distinguía las siluetas de los árboles en la dirección en que señalaba Salim. Abrió una pequeña brújula para orientarse.

Cargaron el bote y Lani abrazó a Kirsty, a Ramesh y finalmente a Cady con lágrimas en los ojos. Se aferró a él con fuerza, no quería dejarlo partir. Apoyó el rostro contra su pecho y sollozó, hasta que Cady la cogió de las muñecas y la apartó. Ella tomó aliento y trató de serenarse.

—¿Podrás arreglártelas? —le preguntó con voz ronca por la tensión.

—Sí, no te preocupes. Sé lo que debo hacer... y lo haré. Te amo.

Sus rasgos se distendieron.

—Y yo a ti. Llamaremos en cuanto lleguemos a la costa.

Bajaron el bote. Ramesh ocupó la proa, Kirsty la popa y Cady cogió los remos.

Poco después desaparecían en la oscuridad.

En aquel momento el *Jaloud* entraba en el puerto de Zanzíbar. Lascelles se dirigió directamente al muelle de la comandancia. Veinte minutos más tarde Okello lo recibía en la sala de recepciones del palacio del sultán.

Era un marco incongruente para hombres como ellos. Bajo sus pies había una alfombra persa de incalculable valor y sobre ellos titilaban las mil piezas de una araña de cristal.

Lascelles vestía pantalones sucios y chaleco. Okello, zapatos negros lustrados, calcetines largos, pantalones cortos negros y camisa de color pardo con charreteras. Llevaba un grueso cinturón de cuero y una pistola en la cartuchera. Lascelles lo puso rápidamente al corriente. Okello no parecía preocupado.

—¿Y qué van a hacer?

—Joder... el chico es norteamericano. La puta de su madre debe de haber ido a Dar es Salaam a hablar con el embajador.

—¿Y qué puede hacer él? —preguntó Okello con el mismo tono despreocupado.

Lascelles cogió aliento.

—Si rescatan al chico habrá problemas.

—¿Y cómo van a encontrarlo?

—No son idiotas. Deben de tener agentes en la isla. Seguramente cuentan con personal entrenado para intentar un asalto. Lo mínimo que harán es acudir a Nyerere.

Okello empezó a pasearse por la habitación.

—Tendremos problemas —murmuró—. Karume y los del consejo no saben lo que es una verdadera revolución, y el chacal de Nyerere les apoya. Hay muchos que quieren que mande soldados... pero él no se atreve.

—Necesita la ayuda de los norteamericanos —interrumpió Lascelles.

—Exacto. —Okello dejó de pasearse y contempló el complicado dibujo de la alfombra bajo sus pies.

—¿Todavía necesita al chico? —preguntó Lascelles, nervioso.

Okello alzó los ojos y sonrió. Sus dientes brillaban a la luz de la araña.

—La verdad es que no. Mis amigos en Kenia han encontrado a dos hermanas masai que cubrirán mis necesidades de sangre. Llegarán en un par de días. —Su sonrisa se amplió—. Me casaré con ellas. Las mujeres masai son hermosas cuando se bañan. Una buena solución, ¿verdad? Casarme con mis donantes. —Con el brazo abarcó el magnífico salón—. A cambio de su sangre, tendrán una vida de lujos, no les faltará nada.

—Entonces, ¿el chico debe morir? —preguntó Lascelles.

—Así es. —Ahora su sonrisa le hubiera dado escalofríos al mismísimo diablo—. Pero antes quiero toda su sangre. Iremos a la villa con el doctor Bajari y nos encargaremos de ello. —Okello entrecerró los ojos—. Así tendré una reserva por si las chicas masai se retrasan. Después arrojarás el cuerpo al mar, para que se alimenten los tiburones. En los últimos meses se han aficionado a la carne humana.

Lascelles sonrió nerviosamente.

—¿Cuándo nos vamos? —preguntó.

Okello se giró hacia la puerta y gritó por primera vez. Inmediatamente apareció un africano vestido con pantalones cortos y camisa de color pardo, que lo miró con ojos obedientes y temerosos. Okello le dio una orden en swahili y el hombre salió corriendo. Luego se dirigió a Lascelles y le dijo con voz meliflua:

—Llegaremos en una hora.

El bote tocó la arena. Ramesh, Cady y Kirsty bajaron, lo arrastraron hasta la playa y lo ocultaron bajo unas palmeras. Ramesh cogió la radio, bajó el volumen al mínimo y se comunicó con Lani para decirle que ya estaban en tierra. Luego lo hizo con Murphy:

—¿Ram Tres? Aquí Ram Dos. Hemos llegado. Cambio.

La voz de Murphy sonó muy lejana:

—Entendido. Buena suerte.

Cady cargó la bolsa y dos barras T, Ramesh las otras dos.

Veinte minutos más tarde rodeaban el primer cuartel. Eran las dos y media de la madrugada y no se oía el menor ruido.

Pero medio kilómetro después tuvieron el primer susto.

Al pasar por un pequeño poblado un perro empezó a ladrar, y luego otros dos. Corrieron hacia unos cocoteros. Pero no había manera de escapar de los perros. Ramesh soltó las barras y preparó la metralleta.

—Habrá que matarlos, Cady.

Éste asintió con un gruñido y se acercó a Ramesh, arma en mano. Kirsty los esperaba veinte metros más allá, jadeando.

No fue necesario. Antes de hacerse visibles, los perros dieron media vuelta y se alejaron.

Media hora más tarde, tendido boca abajo sobre la cresta de una colina, Ramesh oteaba la villa con los prismáticos. La imagen era gris pero muy nítida. Sobre el borde del acantilado se alzaba un edificio estilo morisco. De allí salía una galería techada que conducía a una construcción más pequeña: Murphy les había dicho que eran las habitaciones de la servidumbre, ocupadas ahora por la guardia. Había luz en una ventana.

Ramesh recorrió el edificio con los prismáticos en busca de señales de vida: nada. Luego estudió la entrada principal y vio a un hombre sentado en un banco, con la espalda y la cabeza apoyadas en la pared. Dormía, evidentemente.

Se volvió hacia Cady y Kirsty y dijo:

—Un solo centinela a la vista, dormido.

Cady soltó un gruñido de satisfacción.

—Montemos el dispositivo.

Se desplazaron hacia el sur, agazapados. A unos diez metros del borde del acantilado había una palmera. Cady se asomó al precipicio y recorrió el fondo con los prismáticos.

—Perfecto. Hay unos treinta metros de roca y después comienza el agua, totalmente calmada. —Echó un vistazo al mar: nada, sólo una mancha gris—. Llama a Lani y pregúntale si ve la señal de la linterna.

Ramesh sacó el transmisor y una linterna de la bolsa. Le pasó la linterna a Kirsty.

—Cuando yo te indique, enciéndela apuntando hacia allá. Un segundo, solamente. —Apretó el botón del transmisor.

—Ram Uno a Ram Dos. ¿Me oyes? Cambio.

Tapó el altavoz con la mano y al instante oyeron la voz de Lani.

—¿Qué ocurre, Ramesh?

Había olvidado las estrictas instrucciones de Murphy acerca de las comunicaciones, pero ninguno de los tres reparó en ello. La voz de Lani los reconfortó.

—Vamos a hacer una señal luminosa. Dime si la ves.

Ramesh avisó a Kirsty, quien encendió la linterna y la apagó.

—Otra vez —le susurró Ramesh.

Al instante oyeron la voz de Lani:

—La veo.

—Perfecto. Ahora acercaos. Enviaremos la señal cada dos minutos. Cambio y fuera.

Kirsty conservó la linterna y Ramesh y Cady regresaron a la palmera. Cady dejó el rollo de cuerda en el suelo, cogió uno de los cabos y trepó. A unos tres metros de altura ató la cuerda al tronco con un nudo marinero. Saltó, cogió la otra punta, volvió al borde del acantilado y sacó de la bolsa los rollos de sisal y las pelotas de goma perforadas en el centro. Ató cada pelota en uno de los extremos de cada rollo de sisal.

Luego echó otro vistazo al mar con los prismáticos. Vio el bulto gris del *Manasa* a trescientos metros de distancia; se acercaba lentamente, incluso pudo ver las dos siluetas sobre la cubierta: Lani junto al palo mayor y Salim al timón. En aquel momento Lani arriaba la vela mayor y la sujetaba a la botavara.

Cinco minutos después llamó con un susurro a Kirsty y Ramesh. El *Manasa* se acercaba a las rocas. Salim viró hasta ponerlo contra el viento y Lani bajó el ancla sin el menor ruido.

Minutos después estaba en el agua con el bote, arrastrando una cuerda desde la banda de popa. Echó el ancla a unos cincuenta metros del barco y volvió. Cady la vio girar el cabestrante. La popa del *Manasa* viró lentamente hasta que el barco quedó paralelo a la orilla.

—Muy bien, mi amor —susurró Cady. Y a Ramesh—: Falta lo más difícil. Coge la punta de la cuerda y una del rollo de sisal.

Ramesh asintió, tanteó en la roca hasta encontrar lo que buscaba. Cady cogió la pelota atada a la otra punta del rollo, sosteniendo los prismáticos en la mano izquierda.

—Avisa a Lani —le dijo a Kirsty.

Kirsty cogió el transmisor y apretó el botón:

—Atenta, Lani.

Cady estudió la distancia, retrocedió dos pasos, alzó la pelota con la mano derecha y la arrojó con fuerza por el acantilado.

El sisal se desenrrolló en el vacío. Cady cogió nuevamente los prismáticos. La pelota de goma cayó al agua cerca del *Manasa*. Diez angustiosos segundos más tarde oyó la voz de Lani por el transmisor:

—¡Ya la tengo!

Cady soltó un suspiro de alivio, ató fuertemente el extremo del sisal que sostenía Ramesh al extremo de la cuerda. Habló por el transmisor.

—Tira del hilo, Lani. Despacio.

Cuando se acabó el rollo de sisal empezó a soltar cuerda, despacio, sosteniendo el transmisor en la mano derecha. Cuando la cuerda quedó tensa desde el tronco de la palmera al *Manasa*, le dijo que dejara de tirar. A través de los prismáticos vio cómo Lani ataba la cuerda a la base del palo mayor. Se giró hacia Ramesh.

—Cuélgate de la cuerda con todo tu peso.

Ramesh se agarró a ella con las dos manos y levantó los pies del suelo.

Cady miró por los prismáticos. Al tensarse la soga el *Manasa* cabeceaba un poco. Al girarse vio a Ramesh, con los pies en el aire y el culo a pocos centímetros del suelo. Sonrió:

—Está listo.

Dejaron las barras bajo la palmera y regresaron al anterior puesto de observación.

Ramesh recorrió nuevamente el lugar con los prismáticos. Todo igual: el centinela dormía. Pasó los prismáticos a Cady y miró su reloj:

—Las cuatro menos veinte.

—Vamos —dijo Cady sin bajar los prismáticos. Se enderezó al oír un ruido—: ¿Qué ha sido eso?

Era un coche que se acercaba. Al darse la vuelta vieron los faros en la carretera, y oyeron la bocina. El centinela se despertó, sobresaltado, cogió su fusil y se puso en pie, frotándose los ojos. Se encendió una luz y el coche llegó a la puerta. Cady reconoció inmediatamente a Lascelles, que bajó del coche acompañado por dos africanos.

—¡Dios mío, es Lascelles! Y el otro es Okello, si se puede confiar en las fotos del *Time*.

Lascelles y los dos africanos entraron en la villa. El centinela permaneció erguido, la culata del fusil junto al pie derecho. Se encendieron luces en el cuerpo de guardia y en el edificio.

—¡Van a matar a Garret! —susurró Kirsty aterrada—. ¡Ataquemos!

—Un momento —dijo Ramesh. Una cabeza se asomó por la puerta del cuerpo de guardia y llamó al centinela. Al cabo de unos instantes salió un soldado con una pistola en el cinturón. Avanzó hacia la villa.

—¡Vamos, de una vez! —rogó Kirsty, aferrando el brazo de Ramesh.

—Un momento —Ramesh miró a Cady—: te doy cinco minutos para que llegues a esos árboles. Quiero que te ubiques frente a la puerta del cuartel. Kirsty y yo atacaremos por este lado. Eliminamos al centinela y entramos. Tú cubres el cuartel. Al que asome la cabeza te lo cargas. Cuando empiece el tiroteo arroja unas cuantas granadas, aunque no veas a nadie.

Hablaba en tono firme y autoritario. Cady asintió con la cabeza y desapareció en la oscuridad.

En la villa, Lascelles, Okello y el doctor Bakari recorrieron un pasillo hasta llegar a una puerta de hierro. Bakari la abrió con su llave. En aquel momento les alcanzó el soldado que había salido de la guardia.

260

—Ayúdanos —dijo Okello, y abrió la puerta. La habitación era una enfermería improvisada: había una camilla cubierta con una sábana blanca, un frigorífico y un armario metálico con puertas de vidrio. En su interior, botellas y diversos recipientes de acero inoxidable. En uno de los extremos de la habitación había otra puerta de hierro. Bakari sacó una llave y la abrió. Encendió la luz.

Era un cuarto pequeño con una cama y una ventana con gruesos barrotes.

Garret estaba tendido en la cama. Llevaba unos pantalones cortos que le quedaban grandes. Estaba pálido y tenía la barba crecida. Se frotó los ojos y alzó la cabeza de largo y espeso cabello rubio.

—Hola, pimpollo —dijo Lascelles.

El joven abrió los ojos y al reconocer a Lascelles se sentó bruscamente y apoyó los pies en el suelo.

—¿Qué diablos hace usted aquí?

—Queremos sangre —dijo Lascelles con una sonrisa maligna.

Garret miró a Okello y Bakari con ojos soñolientos y perplejos.

Cuando lo acorralaron arrojó un puñetazo que le dio a Lascelles en plena cara. Éste gruñó y le pegó una patada en la entrepierna. Garret se derrumbó. Bakari y el soldado lo inmovilizaron.

Tres minutos después estaba atado a la camilla en la sala contigua. Un tubo de goma salía de su brazo izquierdo y se conectaba a un frasco de vidrio. Observó asustado que Bakari sacaba otros dos frascos del armario y los ponía junto al primero.

—¿Qué piensan hacer?

Con la cara tumefacta, Lascelles contemplaba fascinado el viscoso líquido rojo oscuro que llenaba el frasco. Ya había más de dos centímetros de sangre. Se inclinó sobre el rostro asustado de Garret.

—¡Te vamos a sacar hasta la última gota, pimpollo!

Al principio Garret no comprendió, pero al ver la expresión de sádica satisfacción de Lascelles, se estremeció de pies a cabeza.

Okello tenía la vista clavada en el frasco de sangre.

—Hasta la última gota —repitió Lascelles—. Y la culpa la tiene la puta de tu madre. Me ha perseguido a través de todo el Océano Índico... pero jamás te encontrará. En un par de minutos te convertirás en aperitivo para los tiburones.

Garret se debatía entre las cuerdas que lo amarraban a la camilla.

—¿Dónde está mi madre? —jadeó.

La sonrisa de Lascelles se hizo más siniestra.

—Muy cerca, chico. Pero ya es tarde.

Desesperado, Garret se arqueó sobre la camilla y gritó con todas sus fuerzas.

Ramesh y Kirsty se acercaban a la casa. En dos ocasiones se habían detenido al ver que el centinela se movía inquieto y miraba hacia ellos. Estaban a veinte metros de la puerta. Ramesh alzó su metralleta lentamente. Sentía los desbocados latidos de su corazón y la boca seca. En ese momento, un grito agudo acabó con el silencio de la noche.

Ramesh quedó paralizado. Kirsty reconoció de inmediato la voz de su hijo y se lanzó hacia adelante disparando la metralleta. El centinela dio una vuelta en el aire y cayó como un muñeco. Kirsty corría como un caballo negro desbocado. Ramesh se recuperó y la siguió velozmente.

Al llegar a la puerta se encontraron con varios soldados que salían del cuerpo de guardia corriendo, con las armas en la mano. Ramesh alzó la ametralladora, pero nuevamente alguien se le anticipó. Los primeros hombres del contingente cayeron como moscas. Cuando se giró, vio que Kirsty ya se introducía en la villa.

● ● ●

Lascelles, Bakari y el guardia corrieron hacia el pasillo, al oír los primeros disparos. Okello permanecía en su sitio, de espaldas a la pared. El guardia salió primero, pistola en mano, seguido por Bakari. Lascelles asomó la cabeza y se encontró con una figura vestida de negro a diez metros de distancia. La metralleta escupió fuego sordamente y vio cómo las balas impactaban en el guardia y Bakari. Aterrado, retrocedió hasta la habitación y corrió hacia la ventana que había detrás de la camilla, sin mirar siquiera a Okello.

Kirsty apareció en la puerta. Vio a su hijo atado y, detrás de él, a Lascelles. No reparó en Okello, que se deslizó sigilosamente por detrás de ella.

—¡Lascelles! —gritó y le apuntó.

Entonces se oyó el chasquido del disparador en la recámara vacía. Los ojos inyectados en sangre de Kirsty se desviaron de él durante un segundo. Mientras sacaba un cargador, Lascelles se lanzó por la ventana, rompiendo el cristal en mil pedazos.

Ramesh vio a Okello huyendo. Disparó, pero la ráfaga impactó contra la pared por encima de él. Cuando disparó de nuevo, Okello se dobló en dos y cayó de rodillas, pero logró reincorporarse, abrir la puerta al final del pasillo y desaparecer por allí. Ramesh había gastado el cargador. Mientras recargaba su arma recorrió la habitación con los ojos. Vio al muchacho rubio atado a la camilla, y a Kirsty, disparando por la ventana.

"Okello es mío", pensó Ramesh. Corrió hacia la puerta y vio que daba a un jardín rodeado por un muro. Okello estaba escalándolo con esfuerzos desesperados. Ramesh levantó la metralleta, apuntó y vació el cargador. Okello gritó pero desapareció por el otro lado.

Ramesh iba a seguirlo cuando oyó los sollozos de Kirsty. Regresó corriendo a la habitación.

Mientras tanto Cady hacía estragos entre la guardia: primero arrojó sus granadas a los hombres que salían, luego atacó a los que permanecían en el cuartel, disparando ráfagas a diestro y siniestro. Atravesó el edificio y salió por atrás. Siguió avanzando a grandes zancadas mientras cambiaba el cargador. Alguien le disparó desde los árboles: vio los fogonazos y oyó el silbido de las balas. Eran tres, por lo menos.

Vació el cargador, en esa dirección, luego sacó una granada, la arrojó y se agazapó. Al llegar a los árboles se detuvo a escuchar: no veía nada, sólo oía ruido de pies y cuerpos que se abrían paso entre la maleza. En la casa principal resonaban múltiples disparos. Al girarse vio que alguien saltaba por una ventana haciéndola trizas, rodaba y corría agazapado y en zigzag hacia él. Kirsty disparaba desde la ventana rota, pero sin éxito.

Lascelles llegó a los árboles, se arrojó al suelo y se arrastró por la maleza. Tenía la cara ensangrentada y jadeaba. Cuando supuso que se había librado del peligro, alzó los ojos. Cady estaba de pie, a medio metro de distancia, apuntándole con la metralleta.

Durante un segundo no se reconocieron: la cara ensangrentada contemplaba la cara ennegrecida.

Lascelles reaccionó primero. Sin incorporarse comenzó a hablar entrecortadamente:

—El chico está vivo. Volverá con su madre. ¡Se acabó, ya ha pasado todo!

—¿Dónde está Okello?

—Te llevaré con él. Ayúdame a levantarme.

Cady no había visto el pequeño puñal que Lascelles ocultaba en la mano. Sintió un aguijonazo de dolor en la pierna.

264

Instintivamente, lo golpeó con el arma. El cuchillo cayó al suelo. Cady lo cogió con un movimiento felino. Lascelles trató de recuperarlo pero recibió una puñalada en el corazón.

Inclinada sobre la camilla, Kirsty cortó las cuerdas que sujetaban a su hijo con un bisturí. Ramesh quiso ayudarla, pero ella lo apartó bruscamente.

Tras cortar la última, Garret se sentó en la cama y madre e hijo se abrazaron, sollozando de felicidad.

Ramesh cargó su metralleta. Fuera resonó una explosión. Cogió a Kirsty de los hombros y la sacudió.

—¡Voy a ayudar a Cady! —gritó—. Seguidme con cuidado.

Corrió por el pasillo hasta la entrada y casi embistió a Cady.

—¿Qué ha pasado? —preguntó éste.

—Todo bien, Kirsty y Garret vienen detrás. Pero Lascelles ha escapado.

—No ha escapado. He matado a ese hijo de puta.

—¿Estás bien?

—Un rasguño en la pierna. No es nada.

Ramesh palmeó su hombro con fuerza.

—¿Los guardias?

—Han huido al bosque como conejos —rió Cady—. Pero pronto volverán con refuerzos.

Kirsty se acercaba, sosteniendo a Garret.

—Ayúdales, Cady —dijo Ramesh—. Yo iré delante, esperad a que os llame.

Salió agazapado: no había nadie a la vista. Corrió hasta el cuerpo de guardia, apuntando a todos lados con su arma: pero tampoco había nadie.

—¡Ahora! —gritó.

Cady cogió a Garret de la cintura, casi levantándolo del suelo; Kirsty los siguió.

Tres minutos más tarde, al llegar al borde del acantilado, oyeron una sirena que se acercaba a la villa.

Garret se apoyó en su madre y Cady calzó una barra T en la cuerda.

Ramesh encendió el transmisor, apretó el botón y susurró:

—Lani, ¡atención! ¡Allá vamos!

Cady levantó a Garret y lo acomodó en la barra mientras trataba de explicarle qué debía hacer, pero el muchacho estaba semidesmayado; tenía los ojos en blanco.

—Bajaré con él —dijo Cady.

—Está bien —dijo Ramesh—. Yo iré el último.

Cady se sentó sobre la barra, abrazó a Garret y lo apretó con los codos contra su cuerpo. Caminó con dificultad hasta el borde del acantilado y se lanzó al vacío.

Una bala silbó sobre las cabezas de Kirsty y Ramesh. Calzaron otra barra. Kirsty se aferró al manillar. Los disparos se intensificaban. Kirsty se giró hacia Ramesh con ojos angustiados, pero él la lanzó de un empujón. Cayó como una piedra, presa del pánico. Pocos metros más abajo la cuerda se tensó y la caída se volvió más horizontal. Kirsty vio la silueta borrosa del *Manasa* y frenó. Cayó al agua, soltó la barra y nadó un par de metros hasta el barco. Sintió las poderosas manos de Cady que la alzaban.

Arriba Ramesh estaba a punto de calzar la última barra en la cuerda cuando sintió una ráfaga de metralleta. Una bala le dio en la cintura, otra le rozó el muslo. Pero no soltó su arma. Se incorporó con esfuerzo, alzó su arma y esperó. Los vio cuando se acercaban, eran cinco hombres y avanzaban con cautela en la oscuridad.

No olvidó las instrucciones de Murphy, incluso cuando una bala pasó silbando junto a su oreja. Afirmó la metralleta contra su hombro y apretó el gatillo lentamente. Disparó el cargador entero contra las figuras que se acercaban. No quedó una en pie.

En la cubierta del *Manasa* los demás oían los disparos y miraban ansiosos hacia el borde del acantilado.

—Por favor, Ramesh —susurró Kirsty—. Salta.

28

Ramesh estaba harto de las despedidas. En dos meses se había despedido de más gente que en sus cuarenta y ocho años de vida.

Sin embargo, hizo un gran esfuerzo por dominarse y tratar amablemente a Murphy y Ray, a Howard Godfrey y su familia, quienes durante el último mes lo habían abrumado con toda clase de gentilezas.

De pie en la cubierta del *Manasa,* alzaron las copas. Murphy había traído una botella de champaña.

—Buen viaje —dijo Howard, y todos brindaron y bebieron. Ramesh miró su reloj.

—Ha llegado la hora de partir, colega —dijo Murphy—. Es mejor que salgas antes del anochecer. ¡A tierra todo el mundo!

Los hombres estrecharon su mano con fuerza y le palmearon la espalda. La mujer de Godfrey lo abrazó y besó en las mejillas.

Bajaron al muelle, soltaron amarras y se quedaron allí durante diez minutos, hasta que el *Manasa* desapareció de la vista.

Media hora más tarde el velero navegaba serenamente hacia el este, impulsado por una brisa uniforme. Ramesh había decidido no recorrer la costa hacia el norte. Quería pasar una buena temporada alejado de tierra... y de la gente, para tranquilizarse y pensar. Se alejaría seiscientos kilómetros de la costa antes de virar al norte. Bajaría a tierra por primera vez en Mogadishu, por lo que le esperaba una travesía de mil quinientos kilómetros. De allí iría al Mar Rojo, cruzaría el canal de Suez y pondría rumbo a Chipre. ¿Después? No lo sabía.

Estaba confundido. De repente recordó las palabras de uno de los ornitólogos: a veces, en Aldabra, una tortuga gigante se alejaba demasiado de la sombra, en busca de alimentos. Si la atrapaba el sol del mediodía, moría de insolación. Así estaba Ramesh: quería la sombra de la soledad.

Había fijado su rumbo de tal manera que no pasara frente a Zanzíbar. Pero sentía su presencia. Las pocas horas que había estado en aquella isla habían sido el momento más duro de su vida.

Sus pensamientos volvieron a aquella noche apocalíptica. Tenía la certeza de que se había enfrentado al peligro y al pánico triunfalmente. Esto le devolvía la confianza. Pero el epílogo de la aventura le había dejado profundas heridas.

Cuando lo subieron a la cubierta del *Manasa* sangraba profusamente de una herida en el costado. Kirsty le detuvo la hemorragia.

El viejo Salim sacó al *Manasa* por el canal del arrecife. Murphy y los demás los esperaban en el yate... dentro del límite de las aguas territoriales. Llegaron a Dar es Salaam al amanecer. Evidentemente Murphy había transmitido la noticia, porque les aguardaba un verdadero comité de recepción: el embajador, funcionarios locales, la policía, un médico y una ambulancia.

Los hechos posteriores se sucedieron vertiginosamente. En el hospital un médico lo felicitó por su buena suerte: supo que, si la bala le hubiese tocado un par de centímetros a la derecha, habría muerto desangrado.

Luego sobrevino la euforia. Durante unos días vivieron una felicidad idílica. Habían tenido una aventura extraordinaria. Estaban unidos por lazos más estrechos que el parentesco y el amor, porque ese vínculo se había templado en la fragua del miedo y el coraje.

Y luego se impuso la realidad.

Era lógico y comprensible: las fuerzas que los habían unido eran complejas, y entre ellas predominaba el factor emocional.

Garret estaba profundamente transtornado por la pesadilla del encierro y la experiencia electrizante de su liberación.

Ramesh permaneció tres días en el hospital. Garret estuvo unos días en observación y después los médicos aconsejaron su retorno a los Estados Unidos para que se sometiera a una terapia psiquiátrica prolongada.

Todo fue muy rápido, y la euforia de Ramesh se desvaneció. Tras la liberación de su hijo, Kirsty sólo pensaba en evitar que el trauma emocional dejara secuelas en Garret. No podía pensar en sus sentimientos hacia Ramesh.

Dos días después del regreso a Dar es Salaam, Kirsty fue a verlo y le cogió la mano.

—Sabes que debo volver. Garret me necesita. Lo sabes, Ramesh.

—Sí, lo sé. Lo supe aquella noche. —La estrechó entre sus brazos—. Y tú sabes lo que siento por ti.

—Ramesh...

—Estoy resignado a que te vayas —la interrumpió él.

Pero ahora se preguntaba si en verdad se había resignado. Y sabía la respuesta. Estaba herido. De dolor y resentimiento.

El gobierno de Tanzania, sumamente molesto por los sucesos, quería ocultar lo ocurrido a toda costa. Llegaron a un acuerdo, que Howard llamó una "indemnización". En términos concretos significó una cierta suma de dinero, y Kirsty no se molestó en averiguar si provenía de los Estados Unidos o era una muestra de gratitud del gobierno tanzano. No tenía otra preocupación que el futuro de su hijo. Cuatro días más tarde, Ramesh y los demás les despidieron en la terminal del aeropuerto.

Ramesh y Kirsty sólo pudieron estar unos minutos a solas. Ella lo abrazó con pasión y los ojos llenos de lágrimas y luego partió.

Ramesh se había refugiado en el amor de Lani y Cady. Al volver de Zanzíbar, ambos habían decidido casarse. Pero había algunos problemas. Lani era apátrida, ni siquiera podía desembarcar en Tanganyika.

Cady fue a la embajada canadiense y solicitó que le otorgaran a Lani documentación provisional para que pudiera casarse. Los funcionarios pusieron sus objeciones burocráticas, pero la ira de Cady acabó por convencerles. El trámite se realizó en breves minutos, de manera escasamente ortodoxa.

Finalmente le dieron sus papeles. Ramesh, embargado de orgullo paternal, fue el padrino de la boda. Así pudo olvidar momentáneamente su anhelo de tener a Kirsty consigo.

Lani y Cady habían decidido ir de luna de miel a la reserva Mikumi e insistieron en que Ramesh les acompañara. Él se negó con firmeza, pero le dijeron que, si no les acompañaba, acamparían en la cubierta del *Manasa*. Ramesh aceptó y se fue con ellos. Pasaron una semana maravillosa.

Cady había planeado volver a trabajar en los pozos petrolíferos. Vivirían en Chipre. Llamó a un amigo que le informó que había trabajo de sobra, incluso en la Armco, la empresa que lo había despedido. La compañía había acabado por despedir al jefe de equipo y estaba dispuesta a recibir la solicitud de empleo de Cady.

Cuando le contó todo esto a Ramesh le pidió con cierta timidez si aceptaba llevarles a Chipre. Él lo hizo sin ocultar su placer.

Pocos días después Lani anunció que estaba embarazada. Durante dos días Cady perdió todo contacto con la realidad. Luego recayó sobre él la responsabilidad y decidió volver a trabajar de inmediato. Le quedaban poco más de dos mil dólares. Cogería un avión a Chipre con Lani y se reuniría con Ramesh en unas semanas, cuando éste culminara su solitario periplo.

Ramesh les acompañó hasta el aeropuerto.

Una nueva despedida, pero esta vez se quedó solo. Claro que se verían nuevamente en Chipre. Era cuestión de semanas.

Después de la partida de Cady y Lani, Ramesh se sumergió en una actividad febril. No era difícil, porque una horda de técnicos especialistas invadió el *Manasa*. Howard y Murphy le explicaron que se habían asignado "fondos" para la reparación.

Los técnicos rediseñaron la cabina, confeccionaron un nuevo juego de velas e instalaron una imponente batería de instrumentos con una moderna emisora de radio de banda única, un sonar, una bitácora nueva y varias cosas más. Después, durante dos días, el *Manasa* fue al dique seco, donde le lijaron la quilla y pintaron el casco.

Finalmente Murphy apareció con un ingeniero de la Marina de los Estados Unidos, que estaba de paso en Tanganyika. El hombre accedió a revisar el motor, pasó dos horas en la caldeada sala de máquinas del *Manasa*. Finalmente salió a cubierta.

—¿Quién le ha reparado ese cascajo? —le preguntó a Ramesh, mientras se limpiaba las manos con un trapo.

272

—Jack Nelson, un inglés de las Seychelles. ¿Está en buenas condiciones?

—¡En buenas condiciones! Ojalá tuviéramos a ese tipo trabajando para nosotros. Hizo un trabajo de primera.

Ramesh escribió varias cartas. La primera a Jack Nelson, a Londres, en donde le relató todos los acontecimientos, incluido su amor por Kirsty. Como remitente puso la lista de correos de Chipre. Las otras cartas fueron para los Savy en la isla Bird y Dave Thomas. A ambos les ofreció un relato breve de los sucesos.

La carta a Saran Singh presentó algunas dificultades. ¿Cómo contarle todo sin que su amigo creyera que se había vuelto un fantasioso? Se limitó a describir el viaje a las Seychelles y las bellezas y fauna de las islas.

Finalmente escribió una carta a Kirsty. Le contó lo de la boda y la luna de miel de Lani y Cady, y el embarazo. Tardó dos días en decidirse a plasmar en palabras sus sentimientos. Se debatía entre la cautela y la necesidad de expresar todo lo que bullía en su interior.

Finalmente, una noche se decidió. Había una brisa suave y del cielo estrellado emanaba una belleza serena y conmovedora. Ojalá, escribió, estuviera con él para compartir aquellos momentos.

Recibió la respuesta poco antes de zarpar. Garret respondía bien a la terapia. En una conversación con ella había expresado el deseo de estudiar biología marina. Estaba fascinado por las descripciones de Aldabra y las otras islas. Eso era lo mejor de todo: había encontrado un objetivo en su vida. En cuanto a ella, pronto volvería a trabajar. Le escribiría a Chipre. La carta concluía con un lacónico: "Te amo. Kirsty".

En Nueva York las cosas no andaban del todo bien. Kirsty se sentía preocupada. No podía definir el motivo. Garret mejoraba rápidamente. Había recuperado su peso normal, y su mirada, antes vacilante y temerosa, ya tenía un brillo de serena seguridad. El psiquiatra que lo trataba le había dicho a Kirsty que Garret nunca podría eliminar aquel horrible recuerdo de su mente, pero que tal vez la experiencia había fortalecido su carácter.

Así lo veía ella. El joven huidizo, introvertido y resentido que salió de Nueva York había vuelto hecho un hombre. Durante el primer mes lo observaba permanentemente, a hurtadillas, embargada por una sensación de orgullo, satisfacción y enorme alivio.

Después hablaron largamente. Garret quiso saberlo todo acerca del viaje de Kirsty y las personas que había conocido. No se cansaba de escuchar las anécdotas y comentarios.

Luego, una mañana, se encerró en su cuarto durante varias horas. Cuando salió sostenía un manojo de cartas dirigidas a las personas que habían ayudado a Kirsty. Eran sencillas, expresaban no sólo agradecimiento, sino también madurez y entendimiento.

Su propio viaje y las historias que le había contado su madre despertaron en él un amor casi obsesivo por el mar. Presentó su solicitud de ingreso en la Facultad de Biología Marina de la Universidad de Florida y fue aceptada.

Durante la última semana antes del inicio de las clases discutieron el futuro de Kirsty. Ella quería volver a trabajar, pero no en Goldrite Fashion. Le interesaba un empleo en el que pudiera estar en contacto con mucha gente y no someterse a una rutina esclavizante.

Jamás hablaban de otra cosa que no fuera el futuro inmediato: aún no tenían la estabilidad emocional suficiente como para hacerlo.

Pero la preocupación era más compleja. A veces notaba en la mirada de su hijo una opacidad y un recelo que no podía explicarse. Sin embargo no sabía el motivo.

Enseguida se regañaba por semejante estupidez: simplemente era el temor de que algo anduviera mal, pero la vida no podía ser perfecta.

Una noche, mientras cenaban en casa, logró desentrañar los motivos de su preocupación.

Hablaban de Ramesh. Por alguna razón la conversación versaba sobre él con frecuencia. En respuesta a una pregunta de Garret le contó por enésima vez que Ramesh le había puesto el *Manasa* a su disposición con absoluto desinterés. Miró a los ojos a su hijo y de pronto supo que Garret había descubierto su amor por Ramesh. ¿Era éste el motivo de su recelo?

Trató de explicarle todo lo ocurrido, y él escuchó en silencio, muy serio. Le dijo que amaba a Ramesh, pero que esto se mantendría en segundo plano hasta que él demostrara estar perfectamente bien. No pensaba abandonar a su hijo después de haber superado tantas adversidades para encontrarlo.

Cuando terminó de hablar, contempló su rostro con ansiedad. Garret mantenía los ojos clavados en el mantel. Se preguntó con angustia si habría escogido las palabras adecuadas para reconfortarlo.

Cuando por fin se miraron, Kirsty sintió súbitamente que su hijo era un hombre fuerte, recio y sensato. Pero había lágrimas en sus ojos, y en sus labios una sonrisa perpleja e irónica a la vez.

—Mamá, te quiero. El viaje me ha permitido comprenderlo poco a poco. Sé que todo lo que hiciste desde la muerte de papá fue porque me querías y porque estabas asustada... pero me encerraste durante años en una jaula de cristal.

Kirsty suspiró y quiso responder, pero la detuvo con un gesto de la mano.

—No, mamá, déjame hablar. A partir de cierto momento supe que mi viaje ya era de vuelta. Un viaje largo, pero valioso. Mi deseo de conocer el mundo se atenuó y sólo deseaba volver a casa para decirte que te quería, pero que nada me impediría vivir mi vida. Pensaba hablarte con firmeza y estaba seguro de que comprenderías, que me dejarías en paz y ya no tratarías de sobreprotegerme.

Hasta aquel momento Garret la había mirado fijamente pero bajó los ojos y comenzó a mover las manos nerviosamente.

—Estuve en esa isla durante meses, y cada vez que me sacaban sangre sentía que me quitaban un gramo más de esperanza. No podría decirte las cosas que pasaban por mi cabeza... fue terrible. —Cogió aliento y continuó con la voz quebrada—. Y cuando esos hijos de puta de Lascelles y Okello decidieron matarme, apareciste tú. ¡Mi madre, con un arma en la mano!

—Garret...

—Estoy bien, mamá —dijo él—. Luego volvimos a Nueva York y todo parecía perfecto, pero había un problema: tenía miedo.

—¿Miedo?

—Sí. Porque no podía decirte lo que pensaba... hasta hace unos minutos. Después de todo lo que ha pasado, después de todo lo que has sufrido para salvarme... ¿cómo diablos iba a decirte que me dejaras vivir mi vida? ¿Que respetaras mi independencia? Piensa un poco, mamá. ¿Cómo decirte que prefiero vivir solo? Y si me pides que venga aquí a pasar el fin de semana, ¿cómo decirte que prefiero pasarlo con una chica?

—Garret, escucha...

—No, mamá, déjame hablar. Cuando has dicho que te buscarás un trabajo y a mí me han aceptado en la universidad... me he asustado. Yo estaré en Florida y tú aquí, y no sé si con una llamada diaria será suficiente. No quiero mostrarme desagradecido. ¿Cuántas veces al mes tendré que venir a verte? —Sacudió la cabeza—. Sí, sé que ya hemos hablado de esto, que tratarás de facilitarme las cosas y no volverás a sobreprotegerme. Pero el problema no está en ti, sino en mí.

¿Qué debo hacer? ¿Cómo se comporta un hijo con su madre, cuando ésta le ha salvado la vida? —Hizo una pausa y prosiguió—. Crees que estoy celoso de Ramesh, pero no es así. Sé que le amas. Pero tú ni siquiera quieres pensar en él. Es más que evidente cada vez que hablamos de tu viaje. Por eso te he hecho tantas preguntas sobre él. Quería estar seguro de que lo amabas. Ahora lo sé y puedo decirte: "vete con él". Tú tienes tu vida y yo la mía, y así debe ser...

Kirsty tenía los ojos llenos de lágrimas.

—No sé... no es fácil para mí... tan lejos...

Garret bordeó la mesa, le pasó los brazos por el cuello y apretó su mejilla contra la de ella.

—Mamá, si algo ha quedado claro tras estos últimos meses es que nunca más estaremos alejados. Nadie podrá separarnos.

Magadishu resultó un lugar aburrido, sucio, caluroso y muy caro. Ramesh se detuvo solamente a cargar combustible, agua y víveres y prosiguió el viaje. El Mar Rojo llegó a agobiarlo con su calma. Se sentía solo y desdichado.

La travesía del canal de Suez despertó su interés. El paisaje no era gran cosa, pero le gustó la sensación de deslizarse en su barco por medio del desierto.

Atracó en Port Said para repostar. Al entrar en el Mediterráneo supo con certeza que, a pesar de todos sus sueños, no había nacido para ser un navegante solitario. Había conocido la amistad y la camaradería, y ahora la anhelaba con todas sus fuerzas. Y también había conocido el amor...

Con profunda tristeza se dijo que aquellos sentimientos correspondían a un breve período de su vida que ya había concluido, por las azarosas circunstancias del destino. Se había quedado con las manos vacías, tal como salió de Bombay.

Dos días después entró en el Club Náutico de Chipre, profundamente deprimido tras seis semanas de navegación solitaria.

La brisa era fuerte, y la entrada al puerto le resultó complicada. Tuvo que concentrarse al máximo para guiar al *Manasa* por la angosta bocana. El mar estaba picado, y tenía el motor acelerado al máximo para mantenerse en línea recta. Finalmente entró en las aguas tranquilas del fondeadero. Cuando estaba a punto de desacelerar, oyó un grito que lo distrajo de las maniobras.

—¡Ramesh! ¡Viejo lobo de mar!

Alzó los ojos: en el muelle, a cincuenta metros de distancia, Cady lo saludaba con ambos brazos en alto, Lani saltaba a su lado, igualmente alborozada.

Los ojos de Ramesh se le llenaron de lágrimas. Se las secó con la manga de la camisa y vio que había otra persona junto a Lani. Era Kirsty, que lo miraba sonriente. Y entonces Cady le volvió a gritar:

—¡Cuidado, Ramesh! ¡Despacio!

Con un par de movimientos nerviosos redujo la velocidad, pero atracó contra el muelle con la torpeza de un novato.

Cady soltó una carcajada estruendosa, pero Ramesh no la oyó. Sólo miraba a Kirsty, estaba encandilado por el maravilloso óvalo de su rostro.

29

En el club le esperaba una pila de cartas. El encargado se las entregó con mirada hosca. No le gustaban los navegantes solitarios, y menos aún aquellos que le estropeaban el muelle.

Pero Ramesh y Kirsty no repararon en su malhumor. Fueron al bar, cogidos de la mano y se sentaron en una mesa apartada.

—No pensaba encontrarte aquí.

—Ni yo. ¡Soy tan feliz, Ramesh! —Lo besó—. Lee las cartas, pero deja las tres mías para el final. Cuando las escribí no pensé que las leeríamos juntos.

Ramesh echó un vistazo a los sobres. Había uno grueso de aspecto oficial que le interesó escasamente. Después de treinta años como funcionario las comunicaciones oficiales le tenían sin cuidado. Las demás venían de varios sitios. Había una de Bombay: Jaran Singh. Dos de las Seychelles: Dave Thomas y Guy y Marie-France. Otras dos de Dar es Salaam: Murphy y Howard Godfrey.

El sobre grueso con aspecto oficial venía de Londres. Al abrirlo se encontró con unas páginas mecanografiadas y un sobre azul que decía, en una letra puntiaguda: *Ramesh y Kirsty*.

Leyó primero las hojas mecanografiadas. Lani y Cady se acercaron a la mesa en silencio y se colocaron junto a Kirsty. Luego cogió el sobre azul y lo abrió, lenta, cuidadosamente, como si fuera un pergamino antiguo. Mientras leía su rostro irradiaba serenidad y profunda tristeza. Varias veces alzó los ojos hacia la mirada interrogante de Kirsty. Leyó la carta muy lentamente. Los otros tres esperaban sin impaciencia. Al acabar, juntó las hojas y se las pasó, en silencio.

Cuando todos terminaron la lectura miraron a Ramesh con ojos vidriosos. Sus ojos dialogaron en silencio.

Ramesh miró el mar picado, más allá del muelle, y trató de encontrar las palabras adecuadas.

—Ramesh —dijo Kirsty—, ¿cómo puede uno sentir tanta felicidad y tristeza al mismo tiempo?

Él no respondió. Tenía la mirada fija en algún punto lejano.

—Debemos respetar su deseo —dijo por fin.

Ramesh y Kirsty salieron y se pararon junto al muelle; él le rodeó la cintura y la atrajo hacia sí.

En el bar, Cady cogió las hojas y las ordenó. En la última página resaltaba la firma de Jack Nelson.

Queridos Ramesh y Kirsty:

Cuando queda poco tiempo de vida los sueños son muy vívidos: se trata, más bien, de un último deseo que otros deben cumplir. Y cuando digo otros me refiero a vosotros.

Os amo. Así es, y no me avergüenza decirlo. Cuando leáis esto ya habré muerto. Estoy harto de los médicos que mienten y de las enfermeras que sonríen compasivamente.

Recibí vuestras cartas el mismo día. Fue sorprendente. Venían desde puntos opuestos del planeta y llegaron en un momento en que estaba profundamente deprimido para recordarme que aquello que nos une trasciende el dolor.

Cuando uno sabe que va a morir, no hay nada peor que la sensación de impotencia. Tal vez aquellos que

*tienen hijos la sientan en menor medida. Pero yo no
tengo hijos, y he sentido esta terrible impotencia. Hasta
que recibí las cartas.*

*Ahora puedo decir que participé de la aventura.
Estuve con vosotros en Zanzíbar.*

*Ramesh, cuando mataste a Okello mi dedo apre-
tó el gatillo junto con el tuyo. Kirsty, cuando abra-
zaste a tu hijo mis brazos estaban junto a los tuyos.
Esto es sentimentalismo barato. Pero no hay mejor
analgésico cuando uno tiene las horas contadas. Os
quiero tanto... y también al bruto de Cady, y a la
pequeña Lani. ¿Por qué tardamos tanto en encon-
trarnos?*

*Kirsty, en tu carta dices que Garret irá a la univer-
sidad y tiene un futuro prometedor. En cuanto al tuyo,
no dices mucho. Ramesh, en tu carta dices que pronto
proseguirás el viaje y que te has hecho a la idea de estar solo en el Manasa. Pero no puedes engañar a un
hombre que está a punto de pasar a mejor vida.*

*¿Recuerdas la fiesta de despedida en Mahe? La
noche antes de la partida os observé. Me atrevo a asegurar que vosotros no os disteis cuenta. Esa noche
supe algo: que estabais enamorados.*

Ahora os diré mi último deseo:

*Kirsty, tu hijo se forjará su propia vida, sin trabas.
Tú vivirás la tuya. Ramesh, todo viaje debe llegar a su
fin, a su meta.*

*No me arrepiento de mi intromisión. Debo confe-
sar que fui yo quien envió el billete de avión a Kirsty.
Adjunto a esta carta una de mi abogado. Os dejo mi
casa en Mahe y unas acciones que os proporcionarán
lo que mi abogado denomina "un buen pasar". Mi último deseo es que volváis a Mahe en el Manasa.*

*Kirsty, cuida a ese babu. Ha sido mi mejor y más
querido amigo.*

*Ramesh, protege a tu mujer. Tiene una virtud en-
vidiable: la lealtad.*

P.D.: *Las palabras del oficial norteamericano que quedó asombrado con el motor del* Manasa *son simplemente una prueba más de mi excelencia como mecánico. No me enorgullece gran cosa.*

TITULOS PUBLICADOS EN ESTA COLECCIÓN

De venta exclusiva en Hispanoamérica